Wat ik nog weet

Van Kees
augustus 1999

Werk van Annie M. G. Schmidt

Staatsprijs voor kinder- en jeugdliteratuur 1964
Constantijn Huygensprijs 1987
Hans Christian Andersenprijs 1988
CPNB Publieksprijs voor poëzie 1988
CPNB Publieksprijs voor kinder- en jeugdboeken 1991

* *Het fluitketeltje en andere versjes* (1950)
* *De versjes uit* Dit is de spin Sebastiaan (1951)
* *Jip en Janneke* (verhaaltjes, 5 delen, 1953-1960)
* *Abeltje* (1953)
* *De A van Abeltje* (1955)
* *Ik ben lekker stout* (versjes, 1955)
* *Wiplala* (1957) Kinderboek van het jaar 1957
* *Het beertje Pippeloentje* (versjes, 1958)
* *Wiplala weer* (1962)
* *Heksen en zo* (sprookjes, 1964)
Minoes (1970) Zilveren Griffel 1971
Pluk van de Petteflet (1971) Zilveren Griffel 1972
Floddertje (1973)
Otje (1980) Gouden Griffel 1981
Een visje bij de thee. Drieëntwintig verhalen en achtenzestig versjes
    uit eenentwintig boeken (1983)
Tot hier toe. Gedichten en liedjes voor toneel, radio en televisie
    1938-1985 (1986)
Ziezo. De 347 kinderversjes (1987)
Tante Patent (1988)
De uilebril. Gedichten in grote letters (1988)
Simpele zielen en nog wat (stukjes, 1989)
Jorrie en Snorrie (kinderboekenweekgeschenk, 1990)

* JeugdSalamander

Annie M. G. Schmidt
Wat ik nog weet

Amsterdam   Em. Querido's Uitgeverij B.V.   1993

Samengesteld door de schrijfster met Tine van Buul en Reinold Kuipers.

Eerste, tweede, derde en vierde druk, 1992; vijfde en zesde druk, 1993.

ISBN 90 214 8142 1 / CIP / NUGI 321

Inhoud

Mevrouw

Op 17 januari 1886 ging Nicolaas Beets (Hildebrand, schrijver van de *Camera Obscura*) naast mijn moeder zitten en kneep haar in de wang. Dat gebeurde in Zetten, Gld. Ongetwijfeld zullen er nu literair-historici opstaan die aantonen dat het onmogelijk waar kan zijn omdat Nicolaas Beets die dag:
  – op duivenjacht was in de Haarlemmerhout
  – een preek moest houden op de hooimarkt te Dordrecht
  – al dood was.
Maar mijn moeder heeft het de rest van haar leven met grote stelligheid en trots verteld: 'Het was op mijn vijftiende verjaardag. Wij waren midden in een les en ik moest een eindje opschikken want Hildebrand kwam naast me zitten.'
  'En kneep hij toen meteen?'
  'Ach, het was een vriendelijk en allerliefst kneepje.'
  'En zei hij er nog iets bij?'
  'Hij mompelde wel iets maar ik kon het niet verstaan. Waarschijnlijk zei hij binnensmonds: "Waarom doe ik dit soort dingen toch altijd? Kostscholen bezoeken. Welkomstliederen aanhoren." Het was zo'n eer voor onze school,' zei mijn moeder. 'Een meisjesinternaat was het. Opleiding tot onderwijzeres. Een normaalschool. Nee nee, het was niet zo'n Zettense inrichting voor gevallen meisjes,' zei m'n moeder met nadruk. 'Een kostschool voor jongedames.'
  Dat kneepje in haar wang gaf een wending aan haar leven. De aandacht was op haar gevestigd. Ze was uitverkoren en de directrice, juffrouw Van Otterlo, ging zich intensief met haar bemoeien. 'Ik wil een dame van je maken,' zei ze.
  En wat betekende dat in die tijd op een christelijk internaat?
  Het betekende allereerst en bovenal een kuise en eerbare

levenswandel. Het betekende verder beschaafd Nederlands spreken met af en toe een Frans woord ertussen. Op gepaste manier converseren met heren van stand, onderwijl bordurend. Nooit poeder of rouge of parfum. Een dame verft zich niet en een dame riekt niet.

Door de aanpak van juffrouw Van Otterlo werd mijn moeder ambitieus. Een dame worden, zeker, maar sterker nog, ze wilde mevrouw worden.

Toen ze onderwijzeres was werd ze verliefd op een onderwijzer, Maaskant geheten. Hij hield ook van haar en het zou stellig iets geworden zijn, ware het niet dat er een tweede aanbidder op het toneel verscheen. Een jongeman die ze dagelijks op straat tegenkwam. Hij droeg meestal een plank over zijn schouder want hij was aankomend timmerman.

Hoewel ze zich vriendelijk met hem onderhield, besloot mijn moeder hem niet verder aan te moedigen. Wat moest ze met een timmerman, als dame! Totdat ze hoorde dat Johan een beurs kreeg om theologie te gaan studeren in Utrecht. Ze begon te wankelen en te weifelen. Als je met een onderwijzer trouwde werd je geen Mevrouw. Je zou altijd Juffrouw blijven. Maar als domineesvrouw werd je absoluut Mevrouw. Hoe veel ze ook van Maaskant hield, hij werd aan de kant gezet.

Het werd de student theologie, Johan.

Tien jaar moesten ze wachten voor ze konden trouwen. Een verloving van tien jaar en ze neukten niet.

Nu ik dit neerschrijf moet ik van schrik even op de bank gaan liggen. Niet omdat ik geschokt ben door het woord, dat nu allerwegen door keurige mensen wordt gebezigd, maar omdat ik besef dat mijn ouders gezamenlijk een hartverlamming hadden gekregen, als ze geweten hadden dat hun dochter zoiets ooit zou schrijven en nog wel in een courant!

Ze trouwden in 1900.

Ach, hoe vaak heb ik mijn moeder horen zeggen: 'Had ik Maaskant maar genomen...' Ze zei het met bitter zelfverwijt.

'Alleen omdat ik mevrouw wou wezen, wat stom, o wat stom van me.' Ze zei het zo vaak dat ik er een liedje van maakte – ik was toen een jaar of dertien – dat ik voor haar zong:

Had ik Maaskant maar genomen
dan was alles goedgekomen
maar ik ben met Schmidt getrouwd
daarvandaan ging alles fout

Ze schaterde erom en riep: 'Zie je nou wel dat je talent hebt? Je zult nog eens versjes maken!'

Het dorp

Ik was de derde Anna Maria Geertruida Schmidt.

Twee dochtertjes voor mij stierven, de eerste vlak na de geboorte, de tweede toen ze drie was, aan leukemie.

Waarom mijn ouders zo halsstarrig vasthielden aan die voornamen, begrijp ik nog altijd niet zo goed. Niet bijgelovig zijn, dachten ze waarschijnlijk. Als je maar volhoudt moet het een keer lukken. Maar hoe blakend en gezond de derde Anna ook was, de angst bleef bestaan.

Ik was een kostbaar kleinood dat bewaakt en afgeschermd moest worden. Mijn moeder meende het bijna letterlijk toen ze zei: 'Ik zou je 't liefste in een doosje willen doen.' Een zinnetje dat me later goed te pas kwam toen ik een liedje schreef voor Donald Jones. Hetzelfde regeltje werd onlangs ook nog in een Ster-reclame gebruikt door een verzekeringsmaatschappij. Eigenlijk komen de auteursrechten aan mijn moeder toe.

Als een dikke spinnende moederpoes bewaakte ze mij dag en nacht. Maar een absoluut bij-effect trad op... Ze blies iedereen van het nest af, zoals een moederkat dat doet die ook de kater wegblaast, al is hij de verwekker van het kroost. Mijn vader en mijn broer werden weggeblazen. Ze mochten me niet benaderen. Mijn broer, acht jaar ouder dan ik, moet toch aan de familiedis gezeten hebben, maar ik herinner mij er niets van. Heeft mijn vader me ooit op de knie genomen of een bordje pap gevoerd? 't Enige dat ik me herinner is zijn blik als hij naar me keek. Een verlegen en ietwat schuldige blik. Hij werd weggeblazen.

Maar één ding besefte ik al heel vroeg. Hij was de baas van de kerk. En de kerk met z'n hoge toren was het middelpunt van het heelal. Elke middag om twaalf uur luidde de koster eigenhandig de torenklok. Dan wisten de arbeiders op de akkers en in de boomgaarden dat het tijd was om thuis te gaan eten.

Ons huis, de pastorie, stond tegenover de kerk. De straat was geplaveid met grote keien waarover de boerenkarren ratelden, altijd enkele dampende verse paardevijgen achter zich latend. Het was de tijd van paard en wagen. Geen auto's, geen radio, geen televisie. Alleen de notabelen hadden een krant. De koster die ook doodbidder was, kwam zeggen wie er dood was. Meer hoefde je niet te weten.

Een predikant had in die tijd een jaarwedde van iets meer dan duizend gulden.

Er bestaat een foto van mijn ouders, deftig gezeten op tuinstoelen, met achter hen de tuinman en de meid. Hoe je van duizend gulden per jaar een tuinman en een meid kon houden, is mij nog altijd een raadsel. Het doet me denken aan een verhaal van Gogol over een heel arm echtpaar. Ze waren zo arm, dat de meid hun twee magere karbonaadjes opdiende. Daarbij denk je toch: Hoe arm moet die meid dan geweest zijn? Waarschijnlijk zal Karel van het Reve zeggen dat het niet Gogol was maar Gontsjarov. Of zo.

Geen riolering, geen waterleiding, geen gas, geen elektra. 'En toch,' zo zei een oude jeugdvriend tegen me, 'wat waren we gelukkig! Denk eens in, er was nog geen milieu! Geen kleine of grote criminaliteit, geen vandalisme.'

Voor Conny Stuart schreef ik eens een anti-nostalgisch liedje: 'Goddank, er komt weer schaarste,' met de regels:

Geef me de walmende olielamp weer
en de smeulende turf en de schurf, o Heer!
Geef me de eerlijke kraamvrouwenkoorts
enzovoorts, enzovoorts, enzovoorts,

Geef me de ontbering
en de vliegende tering
en de bijbel als enig tijdpassering.

Want zo was het ook nog 's een keer.

Door de week werkte mijn vader in de tuin, ging op ziekenbezoek en maakte zijn preek.

Op zondagmorgen zat hij aan het ontbijt en at een krentenboterham.

'Lopen ze al?' vroeg hij dan.

Mijn moeder keek uit het raam.

Over de kerkpaden kwamen de boeren met hun ronde hoeden en de boerinnen met hun witkanten kappen, hun zwart lustren schorten, hun bloedkoralen en gouden stukken, hun omslagdoeken met zwarte franje, hun kerkboeken met gouden slot, hun eau-de-colognezakdoeken, hun zwarte kousen, hun zorgelijkheid en plechtigheid en hun Zeeuwse argwaan tegen alles wat niet witte kappen en zwarte schorten droeg.

'Ze lopen als kiekebossen,' zei m'n moeder.

Mijn vader was gejaagd, omdat hij moest preken en hij trok steunend zijn laarzen aan terwijl hij happen van zijn krentenbrood nam.

'Kom kom,' zei mijn moeder, ''t zal wel gaan, je schudt het immers uit je mouw.'

Ze zei het werktuiglijk. Ze heeft het vijftig jaar lang iedere zondagmorgen gezegd, en vijftig jaar lang, iedere zondagmorgen was hij toch weer zenuwachtig om die preek.

'Lopen ze nog?' vroeg hij, tussen twee happen van zijn krentenboterham in.

Mijn moeder keek naar buiten. 'Ja, ze lopen nog,' zei ze, 'je krijgt een volle kerk.'

De koster kwam het koffertje halen met de toga en de bef, die mijn vader straks zou aantrekken in de consistoriekamer.

Mijn vader schoof het laatste stuk krentenbrood in zijn mond en ging haastig weg. Daar liep hij dan met zijn hoge hoed, zijn zwarte handschoenen, zijn geklede jas.

Zeven minuten later stond hij op de kansel en sprak de vrome kudde toe. Hier was hij niet weg te blazen.

Ik herinner mij zijn handen waarmee hij de preekstoelrand omklemde. Ze leken precies op de mijne.

Al heb ik hem te weinig gekend en maar sporadisch ontmoet, ik heb z'n handen geërfd.

Uitgewist

Mijn broer werd geboren in 1903, tussen twee gestorven zusjes in. Toen het derde zusje, dat was ik, in de wieg lag was hij niet blij en niet dankbaar, zoals hij had horen te zijn. Geen wonder. Alle aandacht van mijn moeder ging naar dat kostbare kleinood in die wieg en voor hem bleef er bitter weinig over.

Op een dag kwam hij thuis van een bezoek aan boer De Groene en zei: 'Ik kom zusje halen.'

'Zusje halen?'

'Ja, ik heb haar geruild voor een kalf.'

Terwijl hij het zei, besefte hij dat het onzin was, maar hij bleef dapper volhouden en wou naar de wieg. Boer De Groene had het zo ernstig gemeend, het was zo'n eerlijk bod en zo'n goede ruil. Mijn moeder barstte in lachen uit. Die lach beledigde hem. Sindsdien is het tussen mijn broer en mij nooit meer goed gekomen. Ik ben ervan overtuigd dat hij me stiekem hard kneep toen ik in de wieg lag en dat hij bad tot Onze Lieve Heer, Hem smekend om ook dit nieuwe kreng in de hemel op te nemen.

Hij besloot mij zoveel mogelijk te vergeten. Later, toen ik wat groter was, deed ik hetzelfde. Ik vergat hem, ik wiste hem uit. En ook nu komt hij nauwelijks voor in mijn herinnering. Zat hij ooit aan het ontbijt met ons? Waar sliep hij in dat grote huis, in welke kamer? Samen spelen was er natuurlijk niet bij. Hij was acht jaar ouder dan ik, had veel vriendjes en speelde altijd buiten.

Een enkele keer nam hij me mee om de kerktoren te beklimmen. Dan was er even een werkelijke verwantschap en kameraadschap tussen ons, als we daarboven op de trans neerkeken op het dorp. Voor de rest negeerden we elkaar of hij pestte me. Toen ik pianoles kreeg en snelle vorderingen maakte op het klavier, was mijn moeder zeer trots, vooral ook omdat ik er mooi bij kon zingen. Ik moest dan ook altijd iets ten gehore brengen als er visite was.

Op een avond zaten alle notabelen van het dorp bij ons in de salon en dronken een glaasje malaga, zoals altijd. Mijn broer was erbij en die herinnering kan ik niet uitwissen want hij was het die stiekem van tevoren de pianokruk had losge-schroefd zodat iemand die erop zat er alras doorheen zou zakken.

'Zusje wil wel iets voor ons spelen en zingen,' verklaarde mijn moeder. 'Ze zingt zo prachtig de Lorelei.

Ik had inderdaad de Lorelei ingestudeerd, het overbekende lied van Heine:

Ich weiss nicht was soll es bedeuten
daß Ich so traurig bin.

Mijn pianoleraar had het voor mij vertaald, want mijn Duits was nog niet ontwikkeld.

Ik ging achter de piano zitten en zong:

Ik weet niet wat het zal beduiden
dat ik zo treurig bin
een sprookje uit oeroude tijden
dat komt mij niet uit de zin

en op dat moment viel ik met pianokruk en al om.

Mijn broer lachte bulderend, alle gasten lachten mee en m'n moeder zei: 'Ach, schatje, heb je je bezeerd?' Maar lachte toen zelf ook. En dat terwijl ik zo roerend en gevoel-vol had gezongen. Het was een diepe vernedering.

Een andere keer gooide hij me in het Kanaal van Zuid-Beveland. Het was diep. Ik kon niet zwemmen. Hij stond aan de kant te kijken. Wonderlijkerwijze wist ik proestend en spartelend op z'n hondjes de wal te bereiken en hij prees me. 'Zie je, dat is de goeie manier om zwemmen te leren,' zei hij.

Ik ben altijd een beetje bang voor hem gebleven, maar ik zag ook met eerbied tegen hem op als hij roekeloze streken uithaalde en mijn ouders weer eens gewaarschuwd werden omdat hun zoontje zo'n bengel was, zo'n rekel, zo'n rad-draaier.

Hij ging elke dag met de trein naar Goes, naar de hbs. In de rijdende trein klom hij dan uit het coupéraam, klauterde over de trein heen en kwam door het andere coupéraam weer binnen. Mijn ouders hoorden dat achteraf en waren tegelijkertijd verontwaardigd en trots. Die jongen toch, die aap van een jongen! Roekeloos bleef hij.

Toen we het bericht kregen dat hij met z'n motor een ongeluk had gekregen op de Moerdijkbrug, gingen mijn moeder en ik naar het ziekenhuis in Dordrecht. Daar lag hij en zag eruit als de klassieke cartoon in *Punch,* totaal verpakt in zwachtels. Hij was wel bij bewustzijn maar was dof en vaag vanwege de verdovende middelen.

'Heb je pijn, jongen?' vroeg m'n moeder.

'Nee,' fluisterde hij.

'O, dan zal het nog wel komen,' zei ze.

Ze besefte onmiddellijk dat dit niet een bemoedigend woord was en ondanks de nare situatie begonnen wij allebei te giechelen, m'n moeder en ik. Die zin is altijd in onze familie gebleven. 'Heb je pijn? O nee? Nou, dan zal 't nog wel komen.'

Gelukkig was mijn broer te suf om het te horen. Hij herstelde en kocht een nog veel snellere motor, werd notaris in Den Haag, lid van de Witte Sociëteit, trouwde driemaal, had onnoemelijk veel vrienden en was zeer geliefd.

Soms ontmoet ik nog mensen die hem gekend hebben.

'Wat een leuke broer had je,' zeggen ze dan.

'Ja,' zeg ik dan.

'Daar zul je wel verschrikkelijk veel mooie herinneringen aan hebben!'

'Ja,' zeg ik dan maar weer. Ik denk aan het kalf, aan de Lorelei en aan het Kanaal van Zuid-Beveland. Verder is alles uitgewist. 'De toren!' roep ik. 'We gingen vaak samen de toren beklimmen. En dan stonden we helemaal boven op de trans en zagen de huisjes van het dorp heel klein. O ja, dat weet ik nog heel goed. Enig was dat!'

De kerk en de toren

Onze pastorie was zeer oud, zeer koud en met zeer grote holle kamers, die mijn moeder nauwelijks vermocht te meubelen.

De kerk was van mijn vader, nam ik dus aan. Hij preekte er 's zondags in, hij doopte er de kleine kindertjes in, hij hield er catechisatie en als hij tegen de mensen zei: 'Nu zingen we psalm drieëntwintig', dan zongen ze ook allemaal psalm drieëntwintig, en was dát niet het bewijs hoe volledig hij de kerk bezat?

's Zondagsmorgens luidden de klokken om halftien. Als mijn vader het huis had verlaten om zijn preek te houden, gingen even later mijn moeder en ik naar de kerk. Bij het binnengaan hadden wij een bepaald groetsysteem: de notabelen moesten worden gegroet, de diakenen, mevrouw Van der Have en Neel. De rest hoefde niet.

Ja, de kerk was van mijn vader, mitsgaders haar duffe geur, haar holle klank van hout op steen en haar verveling. Die anderhalf uur betekende voor mij een bodemloze leegte van verveling. Een kerkerschap zonder hoop en troost en zonder uitzicht, een eindeloze eeuwige jeuk. Zelfs na het Amen was het niet afgelopen. Dan kwam er nog een gezang en nog een. Dan kwam er nog een mededeling en een zegen en nog een gezang. En nog een mededeling. En een kerkezak en nog een laatste gezang. En dan pas kwam ik in de weelde van de buitenlucht en ik had het liefst languit willen gaan rollen over de grafzerken, maar dat was niet toegestaan.

De kerk was op zondag helemaal van mijn vader.

Maar de toren niet. Tussen twaalf en een konden mijn broer en ik in de toren klimmen op zondag. Stiekem weliswaar, maar we konden erin, want de roestige knarsende deur van kerk naar toren was open. We gingen de uitgesleten treden op. Na veertig treden kwamen we op de eerste torenzolder, waar uilen hun nesten hadden en waar vleermuizen ondersteboven hingen te slapen. En na zeventig treden waren we bij de dievendeur en na nog meer treden waren we bij de klokkezolder, waar de grote klokken hingen, zwart en zwaar en veel veel groter dan wijzelf! En na nóg meer treden was ik zo moe dat ik niet meer kon en ging zitten. Dan zei mijn broer: 'Blijf daar dan maar, sufferd, ik ga wel alleen.' En angstig sleepte ik me dan verder omhoog, doodsbang alleen achtergelaten te worden.

Helemaal boven aan de trap was een klein hekje dat piepend openging. Daar stonden we. Het was ineens hel licht, we stonden op de torentrans, de bolle wind woei om ons heen. En we zagen de schepen varen. Veel grote schepen op de blauwe Westerschelde en een paar kleine bootjes op de blauwe Oosterschelde. Daartussen zagen we het land liggen, het groene Zuid-Beveland. We zagen de boomgaard van Ganzeman en ons eigen huis en de kippen in de tuin. We konden zelfs de hond zien voor zijn hok. Een heeeeel kleine hond voor een heeeeel klein hok. En we zagen de weg naar Wemeldinge kronkelen en we zagen de kaarsrechte weg naar Yerseke en we zagen de dijk naar Hansweert met een heeeeel klein busje erop. En ik voelde me dan zo vrij als later nooit meer, nooit meer. De kerk was van mijn vader, met de diakenen en de witgekapte vrouwen. Maar de toren niet. Die was van de vleermuizen, van de uilen en van de grote zwarte kraaien. Die behoorde toe aan oude tijden; die toren had iets heidens, iets wilds, iets tomeloos. Die toren had iets van wind en van schepen en van zeerovers. Die toren was van mij.

Herfst is niet te vervangen

Kouder en vroeger donker... dat is haast alles wat het voor die stakkers van stedelingen betekent, het najaar. Ze zetten het direct om in zorgen: de kolen en de zolen en de winterjas. Maar het grote complex van geuren en gevoelens dat een zich respecterende herfst behoort mee te brengen, dat is alleen aan het buitenkind beschoren. De verlatenheid van een hoge koude hemel, waar duizenden kleine stipjes samenzwermen: de vogels gaan trekken... modderige wegen, kapotgereden door de bietenwagens, de wind over de kale polder, de kromgewaaide natte bomen op de dijk en kreunende molenwieken. Ja, eenzaamheid en verlatenheid van mist en natte wegen zijn sterker op het land, maar ook minder triest, en het thuiskomen in het lamplicht en in de geur van hete bruine-bonensoep is een veel groter genot dan het ooit in de stad kan wezen.

Achteraf is het erg goed om een buitenkind geweest te zijn in een groot huis met zolders en kelders en een tuin; niemand kan je later ooit meer de poëzie van dat alles afnemen; voor iedere stemming was er altijd een schuilplaats. Langzamerhand, als je ouder wordt, klonteren alle herinneringen aaneen, herfst betekent: alle herfsten door elkaar.

Naast ons werd de keu geslacht en ik vluchtte naar het uiterste hoekje van de zolder om het geschreeuw niet te horen; later keek ik nieuwsgierig uit het zolderraampje en zag de kinderen er allemaal omheen dringen; de boer stond met een ronkende brander de haartjes af te schroeien, straks zou ieder kind een stuk zwoerd krijgen om aan te likken. Ik vond het eng en nam liever een goudrenet, rijen goudrenetten lagen er op die zolder.

In de tuin vielen de wormstekige appels af. We moesten ze

oprapen, emmers vol, je stootte telkens met je hoofd tegen een groot zilveren spinneweb, waaruit een kruisspin wegholde en dat opraapwerk was alleen draaglijk wanneer je van die tuin een groot spook- en griezelbos maakte: gauw gauw die emmer vol, anders zou het groene monster uit de sloot opduiken en een klauw uitstrekken...

En dan werden de appels geschild en ze moesten naar de dikke witte bakker, die ze droogde in de broodoven. Nog warm kwamen de gedroogde appeltjes terug in een mand met een doek erover en dan at je er ponden van tot je hijgde en steunde. 'Nou niet drinken! Niet drinken!' zei je moeder, 'pas op, dan barst je!'

Mispels, die moest je eten als ze rot waren en ze groeiden in groten getale op een buitenwegje, heel ver afgelegen, dat de Bok heette. Op jacht naar mispels liep ik daar op een middag toen het al schemerde en de mist laag boven de greppels hing. Er schreeuwde iets in de verte, en dat iets stond midden op het wegje en het was zwart. Toen ik klepperend met de klompjes naderbij kwam, toen bleek het mijn eigen grootmoeder te zijn in haar invalidenwagen. Ze krijste zwak maar zeer verontwaardigd. En niet ten onrechte: mijn broer had haar midden op de weg met haar wagentje laten stikken. Waarom dan toch? Omdat ze hem voor ieder van deze gehate ritten een kwartje had beloofd, maar ze was wat gierig op haar oude dag en betaalde nooit. Nu was hij weggelopen en had haar laten staan. Even later kwam hij aanhollen en eiste vijf kwartjes. Zo niet, dan zou ze de hele nacht in de mist op de Bok moeten blijven zitten. Kermend betaalde mijn grootmoeder uit haar vette leren beurs. Ik vond het heel goed en rechtvaardig van mijn broer. Had ze maar eerder moeten betalen.

En wij duwden onze grootmoeder voort en sloften zwijgend naar het dorp waar de lichtjes ons ontvingen en waar we met koude neuzen binnenkwamen in de gang vol kookgeuren.

Herfst op het land is niet te vervangen.

Max

In het dorp waar wij woonden, lag de kerk gebed in een groenfluwelen gazon, dat door Geert de koster werd gekoesterd en vertroeteld en gemaaid, eindeloos gemaaid en misschien zelfs gestreeld, in de nacht, maar dat weet ik niet zeker. Om de kerk heen lagen de huizen in een nette kring, en een van die huizen was de pastorie waarin wij woonden.

Een kwart cirkel verder stond het café. Het was een ouderwets dorpscafé, dat enkel op zaterdagavond iets te doen had, en dan nog alleen van niet-dorpelingen, want in een Zeeuws dorp is het café 'de zonde' en men gaat er niet heen; men kijkt slechts aandachtig, wie er wél heen gaat.

Ook voor ons kinderen was het café 'de zonde'. Wat ik achter die ramen met de bierreclames vermoedde, was een niet gedefinieerd beeld, een smoezelige vlek van onheil en angst en gevaar en waarschuwing, terwijl in werkelijkheid dit toch alleen een dorpskoffiehuis was, met een biljart, waar Jane de boel in handen had.

Die Jane was natuurlijk voor ons ook de zonde. Ach en de ziel was waarschijnlijk zo onschuldig als een wit lam; ze was een boerenvrouw met een geruit schort; ze keek wel heel kwaad naar ons, maar dat kwam natuurlijk omdat ze instinctief vermoedde dat wij haar een cafésloerie vonden, en dat onze pa ons dat geleerd had.

Maar de hond was het ergste. Jane had een boxer. Zijn ene tand hing over zijn lip; zijn mondhoeken waren wreed naar beneden getrokken, hij had het gezicht van een louche passagierende zeeman, die met een mes door donkere straatjes sluipt en hij heette Max.

Deze hond stond steeds breeduit op zijn kromme benen vlak voor het café, te wachten of er niet iemand voorbij zou komen die hij in stukken zou kunnen scheuren, zo keek hij althans.

Nu hadden wijzelf een zoete kwispelende zorgeloze herder, Tommie geheten, en natuurlijk gingen wij met Tommie uit. Mijn broer nam hem mee langs het café. Dan ontstond daar plotseling een warreling van gegrol en gegrauw en vliegend stof en dwarrelende haren: het angstige beeld van twee vechtende honden die één grommende draaiende bal worden. Het eindigde meestal met piepend gejank en Tommie hinkte met een bloedend oor uit het duel, terwijl Max met zijn grijnzende zeemanskop op zijn kromme benen bleef staan, triomfator, voor het café. Zo iets overkwam wel mijn broer, maar mij niet. Ik wilde onze zoete Tom niet exposeren aan de bloeddorst van een nijdige hond die alles met 'de zonde' had uit te staan.

Wanneer mijn moeder zei: 'Ga's even naar de bakker en neem Tommie mee, het beest heeft zijn loopje nog niet gehad...' dan werkte mijn brein koortsachtig: Ik ga niet langs het café van Jane. Ik ga helemaal het spoor om en het Vrooland, dan hoef ik er niet langs. En dat deed ik dan ook en het duurde meer dan een halfuur, voor ik terugkwam met het brood en langs mijn neus weg zei: 'Och, ik ben maar een eindje omgelopen... zo leuk voor Tommie.' Niemand mocht ooit weten hoe bang ik was voor Max. En, om eerlijk te zijn... het was niet alleen voor het hachje van onze herder dat ik kromp van angst, nee, voor mezelf was ik banger... ik voelde mijn haren prikken wanneer ik langs die kromme poten moest wandelen.

Het werd ingewikkeld, toen ik voor bijna iedere boodschap uren om moest lopen, langs akkers en weiden, en steeds smoezen moest verzinnen bij thuiskomst. In mijn verbeelding werd Max bovendien steeds groter, steeds bloeddorstiger, steeds loucher; hij vertegenwoordigde de hel. Ik zag hem alleen nog maar uit de verte, als een stip voor het café, maar juist omdat ik hem nooit meer dichtbij zag, werd hij steeds groter in mijn dromen. 's Nachts hoorde ik hem grommen; een dreigende grom in mijn droom. Ik zag de venijnige tand over die lip, ik liep en hij hijgde achter mij aan; een soort Hound of the Baskervilles... een spook van een hond, een afgrijselijke schaduwhond, een fantoom met bloeddoorlopen ogen, de flarden vlees van slachtoffers nog half uit zijn wrede bek hangend... en als ik dan klammig en kreunend wakker werd, zwoer ik bij mezelf dat ik nog liever het hele eiland zou omlopen, om naar de bakker te gaan, dan een keer langs Max.

Maar het noodlot drijft ons naar het fantoom toe. Het was oudejaarsmiddag en mijn moeder stemde erin toe, na ons lang en dreinend aanhouden, appelbeignets te bakken. Wij vonden appelbeignets het summum van oudejaarssymboliek.

'Nou vooruit dan,' zei moeder en ze pakte het kookboek. 'Wat heb ik daarvoor nodig, 's kijken... meel heb ik, appels heb ik, olie heb ik, bier! Bier heb ik niet in huis.'

Nee, bier hadden we niet in huis. Wel bierazijn.

Maar daar ging het niet mee.

'Trek jij je jas aan,' zei mijn moeder, 'en ga even naar Jane. Vraag om een half flesje bier.'

'Naar Jane?' vroeg ik met ontsteltenis, alsof zij mij vroeg op het kerkhof knoken te gaan zoeken. 'Naar Jane? Ik?'

'Ja,' zei mijn moeder ongeduldig. 'Je gaat gewoon het café binnen. Ze zullen je daar niet opeten!'

'Maar het is al bijna donker,' zei ik.

'Nou, het is daar open,' zei moeder. 'Je kunt er zo in. Ga maar gauw.'

Ik trok mijn jas aan en dacht: Dit kan niet. Dit is te veel gevergd.

Bitter betreurde ik onze wens om appelbeignets te willen eten. Ik keerde me naar mijn moeder met een wit gezicht en stamelende lippen.

'Wat zeur je toch,' vroeg ze. 'Vind je 't zo erg om een café binnen te gaan? Je bent er toch zo weer uit!'

Ik durfde niet te zeggen: 'Moeder, die hond!' Ik was geen klein kind meer, ik kon niet zeggen dat ik bang was voor een hond. Ik ging.

De ramen van het café waren al verlicht. Er klonk gerinkel van glazen, getik van biljartballen. Met halfgesloten ogen duwde ik de deur open. Er hing rook binnen; een paar boerenmannen zaten aan tafeltjes, een paar anderen speelden biljart. Het gelach verstomde, het was er ineens vreemd stil. Maar het monster was er niet. Ik durfde ademen.

Daar stond Jane, in haar geruite schort achter de toonbank. Ze zei niets. Ze keek me alleen vragend en wantrouwend aan.

'Ik... er... een half flesje bier, alstublieft,' zei ik en ik legde mijn centen neer.

De boeren grinnikten. Jane pakte een flesje en zei: 'Moet de familie daar ouwe jaar mee vieren? Wel, wel, wel...'

'Ha ha,' ginnegapten de boeren goedmoedig. Ik kreeg een kleur en keek Jane aan. Ze lachte vriendelijk nu. En opeens zag ik háár kant. Ik zag de kant van het café. Ik kon ineens voelen hoe ze ons, de domineesfamilie, met hun primme afkeer van zonde, een stelletje onmogelijke prenten vond. En ik bloosde nog meer en lachte terug; er kriebelde iets aan mijn been. Ik keek naar beneden en daar stond Max, zijn neus tegen de zoom van mijn rok. Zijn ogen keken naar me op. Ze keken precies zoals de ogen van Jane, goedmoedig, nieuwsgierig en een tikje ironisch. Het was een vrij kleine boxer, met kromme benen en een kop die lief en menselijk kon kijken. Het was geen fantoom. Geen nachtmerrie, geen gruwelijke vampier. Het was gewoon een hond.

Ik boog me en streelde hem over de platte grijze kop. Grote rimpels kwamen in zijn voorhoofd en hij liet toe dat ik hem krabde. 'Mrrrr...' zei hij vertrouwelijk.

De tranen kwamen in mijn ogen. Om de ontzaglijke bevrijding. Thuis vierden we oud en nieuw en de appelbeig-

nets waren heet en zoet. Ik staarde sentimenteel in het kaars-
licht en droomde ervan dat ook de twee honden, Tommie
en Max, nu 'naar elkander toe zouden groeien'. Dat ze de
kloof tussen pastorie en zonde nu op hun wijze zouden
overbruggen. Het was niet zo. Twee dagen later waren ze
weer een grollende dwarrelende bal. Maar het hinderde niet
meer.

Ik durfde ze uit elkaar te slaan en daarna Max pedagogisch
en rechtvaardig toe te spreken. Dan keek hij me aan zoals op
oudejaarsmiddag en we begrepen elkaar volkomen. En daar
gaat het toch altijd maar om.

De majoor

Enige tijd geleden werd ik 's morgens vroeg wakker door het geluid van paardehoeven op straatstenen. Vele kletterende hoeven en ik hoorde mijn moeder duidelijk roepen: 'Paardenvolk!'

Ik was niet helemaal wakker. In mijn halfslaap hoorde ik het klateren van badwater ergens boven in het huis en ik weefde daaromheen een droom van soldaten, veel soldaten op paarden. Het woord paardenvolk verraste me. Bestond dat woord echt? Ja, het bestond toen inderdaad en ik moet een jaar of drie geweest zijn toen mijn moeder riep: 'Gauw, gauw, kom kijken, paardenvolk!'

Eerste wereldoorlog. Mobilisatie. Ons dorp was vol uniformen. Er was niets angstaanjagends aan. Integendeel, het had iets vrolijks en ik begreep uit mijn vaders uitleg dat we niet bang hoefden te zijn. Oorlog bestond alleen in hele verre landen, zoals België, niet bij ons.

Eigenlijk begon de twintigste eeuw in 1914. En wat een gekke eeuw. Hoezeer ik ook dagelijks kanker en mor tegen het ouder worden en oud-zijn, toch vind ik het interessant om zo'n groot stuk eeuw te hebben meegemaakt. Twee wereldoorlogen en als ze een beetje opschieten nog een derde.

Terug naar het paardenvolk.

Op mijn vijfde verjaardag gebeurde er een wonder. Ik zat met mijn moeder voor het raam van de salon. De voorkamer heette salon omdat er gele satijnen stoelen in stonden en omdat we er nooit zaten. Ja, toch wel. Op nieuwjaarsdag als de kerkeraad gelukkig nieuwjaar kwam wensen en koffie kreeg met speculaasjes. En nu, op mijn verjaardag, zaten we voor het raam, mijn moeder en ik. Het raam stond open.

Het was mei. Zonlicht stroomde naar binnen.

Een majoor op z'n paard hield stil voor ons raam. Hij had een goudbruine snor en een goudbruin paard. Ik wist dat hij een majoor was want hij was al eerder langsgekomen om met mijn moeder te praten. 'Vandaag komt de majoor misschien,' had ze gezegd. 'Hij weet dat je jarig bent.' De majoor boog zich voorover, nog steeds op z'n paard, stak z'n hoofd door het raam, lachte en gaf mij een pakje. Terwijl ik het open-maakte, praatte hij zacht met mijn moeder.

Uit het pakje kwam een poppebadje. Er bestond nog geen plastic, het was van celluloid. Er zat een klein bloot celluloid poppetje in. Het kraantje kon echt lopen als je water deed in het tankje bovenin.

Nooit in m'n verdere leven heb ik zo'n verrukkelijk ca-deau gehad.

Het paard brieste en stampte, de majoor lachte vrolijk. Geuren van meibloesem woeien naar binnen en de zon scheen op ons alle drie. Alle vier eigenlijk, als je het paard meerekent.

De zon? Onzin. De salon lag pal op het noorden; er kwam nooit een straaltje zon naar binnen. Er moet iets anders ge-weest zijn waardoor de wereld van goud leek.

Waar was mijn vader op dat moment? Waarschijnlijk in zijn studeerkamer. Vermoedelijk werkte hij aan zijn proef-schrift: 'Weezenverpleging bij de Gereformeerden tot 1790', waarop hij zou promoveren aan de faculteit der godgeleerd-heid aan de universiteit van Utrecht. Een proefschrift waarin de opdracht stond: Aan mijne vrouw.

Naar mijn weten is de majoor nooit bij ons binnen geko-men. Alles ging door het raam. Ook zijn tuniek, z'n uni-formjas die hij naar binnen stak met de vraag of mijn moeder een ster op de kraag wou naaien. Dat wilde ze heel graag en ze ging ijverig aan het werk.

Ik kan me niet herinneren of de majoor al die tijd op z'n paard in hemdsmouwen bleef wachten voor het raam. Maar

heel zeker weet ik dat mijn moeder, toen hij weg was, uitriep: 'O Heer, ik heb de naald erin laten zitten... ik kon 'm
er niet meer uit krijgen, wat erg!'

Het garnizoen, of hoe zo iets heet, werd overgeplaatst. De
uniformen verdwenen. Het paardenvolk trok verder. De salon
lag weer pal op het noorden, er kwam geen sprankje zon
meer in.

Nu stel ik me voor dat mijn moeder zich gevoeld moet
hebben als Tsjechovs drie zusters, nadat de militairen wegge-
trokken waren.

Het begint allebei met hei

Het jongetje dat bij ons kwam logeren, had twee boeken meegebracht. Het eerste heette: *Kakkerlak*. Het tweede: *Kleine Heidi*. Het jongetje zelf interesseerde me geen steek, want ik was acht en hij pas zes en bovendien deed hij plasjes in de zandbak in de tuin, wat ik zo verschrikkelijk ordinair vond dat ik op grond daarvan niet met hem wou spelen. Zijn boeken wou ik wel; hij mocht er zelf niet meer aan komen. Ik hield ze stevig bij me en begon te blazen wanneer hij er maar naar taalde. Verongelijkt liep hij dan weg en begon treurig aan een nieuw plasje in de zandbak.

In die tijd vrat ik boeken, zoals alle leeskinderen dat doen, en het was erg moeilijk om telkens weer nieuw voedsel te vinden. Je kunt een kind dat in een dag een heel boek absorbeert, niet altijd maar weer de volgende dag een nieuw geven. Lange middagen stond ik voor mijn vaders boekenkast. Die kast was een troosteloos zwart bos van Vondels verzamelde werken en ander grotemensengezemel, maar ik zocht toch ijverig naar ieder klein groen open plekje dat zich aan mij wou openbaren. Bunyans *Christenreis* haalde ik eruit en las het met lange tanden. Op een dag vond ik er: *Nora, een Poppenhuis,* van Ibsen.

Als een boek *Een Poppenhuis* heet, dan moet het ook over een poppenhuis gaan, maar die Ibsen is een bedrieger, hij bedriegt kleine meisjes. Het geeft een akelig, hongerig gevoel niets te lezen te hebben, maar van die hongertochten in vaders boekenkast heb ik toch één ding geleerd: het snuffelen en het snel schiften in woestenijen van drukwerk.

Natuurlijk was ik met de twee boeken van het jongetje duizelig van geluk. *Kakkerlak* was zo uit. *Kleine Heidi* had twee delen en er was een boel aan te lezen. Het ging over een Zwitsers meisje ergens in een berghut boven op een Alp, waar de dennen zo sterk ruisen, dat ik het nog altijd hoor. Ze hoedde geiten, dat was haar professie en ze smolt kaas, dat was haar liefhebberij. Verder had ze een grootmoeder, die zo graag één keer in haar leven kadetjes wou eten in plaats van roggebrood. Om de een of andere reden moet Heidi naar de stad, beneden aan de voet van de Alp. Dat kwam in het tweede deel en dat stadsleven was zo sterk doordrenkt met heimwee dat ik nog altijd heimwee vereenzelvig met Heidi. Het begint trouwens allebei met hei.

Het knagende verlangen naar de ruisende dennen en de gesmolten kaas en de geiten en de gentianen kon ik zo door en door meevoelen, hoewel ik nooit met geiten of gentianen connecties had gehad en nog nooit gesmolten kaas had geproefd. En net toen het heimwee op z'n allerhoogst was, ging dat jongetje weg, ons logeetje. Hij werd door zijn moeder afgehaald en hij nam de boeken weer mee.

Mij liet hij met het opgejaagde heimwee zitten. Ik wist niet eens of Heidi ooit weer terugkwam op haar heerlijke Alp en of ze ooit weer kaas zou smelten en of haar grootmoeder nog eens dat kadetje zou krijgen. Het was ontzettend. Op zolder zat ik maar zwijgend te verlangen en ik kon het aan niemand vertellen. Want als je tegen je moeder zegt: 'Ik wil terug naar de geiten en de gentianen', dan is er niet veel kans dat ze je begrijpt.

Helemaal overgegaan is het heimwee nooit. Nu heb ik laatst het boek van kleine Heidi nog eens in handen gekregen. Ze is teruggekomen op de Alp, heb ik daar gelezen en haar grootmoeder heeft nog een kadet gegeten voor ze stierf.

Maar dat ik dat al die jaren niet geweten heb... het heeft toch iets in me geknakt.

Schoonmaak

Wanneer het woord 'schoonmaak' valt denk ik aan mijn jeugd. Als de wind een vage zoetige geur van aarde en mest meevoerde en als de vogelkreten milder en voller en melodieuzer werden, dan wisten we dat het lente ging worden. En als dan mijn moeder gist en sukade kocht dan wisten we 't zeker, want dat was een teken dat het schoonmaaktijd werd en dat we Jan-in-de-zak zouden eten, bij wijze van pleister op de wonde.

Ik geloof niet dat mijn moeder ooit de drang tot schoonmaak in zich voelde opkomen, want ze was niet zo. Het was ons meisje dat altijd het eerst die hunkering in haar ogen kreeg en begon te praten over lekker *doen* en lekker *soppen* en over 'de lamp eraf' en de 'gordijnen eraf' en zo, net zolang tot m'n moeder zachtjes aan werd meegesleept en ook die hunkering in haar ogen kreeg. En dan was het onvermijdelijk. Dan hielp er geen lievemoederen meer aan. Dan kwam er een periode van vier weken ontreddering en verbanning.

Mijn vader werd zo lang mogelijk gespaard. Hij zat in zijn studeerkamer en had zelfs een paar zalige dagen omdat mijn moeder zei: 'We doen maar even niets aan de studeerkamer, zelfs niet stoffen, dat doen we *straks.*' Dus zat hij daar te vervuilen en Goethe te lezen, een voor hem onwaardeerbare en kostelijke combinatie.

Wij, mijn neefje en ik, werden de deur uit gejaagd in teddy-jasjes en we voelden ons als de Twee Wezen. We waren geen buiten-speel-kinderen. We waren echte huiskinderen en daar stonden we dan, op de weg en in de wei, die nog koud en onherbergzaam was. We liepen een eindje en gingen dan op een boomtronk zitten en we vertelden

elkaar verhaaltjes, met blauwe neuzen en kleumerige knuist-
jes. We hielden dat geen uur vol, maar als we dan weer binnen kwamen lopen, rook het overal naar stof en zeepsop en
terpentijn en ammoniak en mijn moeder had een lang geruit
schort aan, met mouwen en ze liep met zwabbers en stofdoe-
ken te zwaaien en ze keek ons kil en vijandig aan.

'Wat moet je nou weer hier?' zei ze. 'Kunnen jullie dan
ook geen moment buiten spelen?' Helaas, het schoonmaak-
virus zat in haar bloed en maakte haar tot een vegend mecha-
nisme zonder mededogen. 'Hier heb je ieder een cent,' zei
ze. 'Ga maar snoep kopen.'

We kochten dan ieder een stuk veterdrop en even later
zaten we weer op de tronk, weliswaar met veterdrop, maar
nog steeds treurig en koud.

'Laten we gaan bikkelen,' zei ik dan. En mijn neefje ge-
hoorzaamde. We gingen bikkelen op de stenen stoep van het
gemeentehuis, met benen bikkels en een gummibal... En
toen we opkeken, zagen we iemand aankomen, een heer met
de handen diep in zijn zakken, de hoed somber over zijn
voorhoofd getrokken en met een blauwe neus, evenals wijzelf. Het was mijn vader. Hij zag ons eerst niet, maar toen
we hem riepen bleef hij staan en zei: 'Och och...'

Eindelijk was ook hij uit zijn studeerkamer verdreven, uit
zijn stoel weggezwabberd, uit zijn Goethe weggevaagd. Hij
was als een vogel die van het nest met eieren is verdreven en
hij keek ons hulpeloos aan.

In de verte klonk een toeter. Het was de bus. De bus naar
de stad. Mijn vader keek even weifelend naar de naderende
bus. Toen pakte hij ons ieder bij een hand en zei: 'Vlug, we
maken er een dagje van.' Wij graaiden de bikkels bijeen en
stapten verbluft mee de bus in, die vlak bij het gemeentehuis
stopte.

'Zo zo, ga jij ook naar de stad...' zei mijn vader tegen een
heer voor ons.

'Tja... ik ga ook naar de stad,' zei de heer. Het was de

notaris van ons dorp.

'Voor zaken, zeker,' zei mijn vader.

'Och ja...' zei de notaris en keek naar zijn platte aktentas. ''t Is eigenlijk zo... dat eh... mijn kantoor wordt vandaag gedaan.'

'Tja... ja...' zei mijn vader begrijpend.

We gingen in de stad eerst naar de veemarkt. Naar de koeien kijken, die daar op een rij stonden, met al hun staarten evenwijdig. Toen gingen we naar het haventje om de tjalken en de botters te zien. En de notaris ging mee met zijn aktentas.

Toen we genoeg hadden van de tjalken en de botters, gingen we de kerk van binnen bekijken, en daarna van buiten. En de notaris ging mee. Hoewel wij kinderen ons niet in het minst interesseerden voor die kerk, noch van binnen, noch van buiten, stelden we er deze keer een intens belang in, enkel en alleen omdat deze hele dag zo heerlijk was en ons te zamen voegde met innige band, ons vieren.

'Nu dacht ik zo, dat we wel eens iets konden gaan gebruiken,' zei mijn vader, die inmiddels heel levendig en praatzaam was geworden. 'Erwtensoep in De Landbouw, wat denken jullie daarvan?'

We aten grote borden erwtensoep in De Landbouw, met kluiven, en taart toe. En daarna gingen we naar de fotograaf, die ons alle vier fotografeerde tegen een achtergrond van witte zuilen. De zuilen waren geschilderd op een doek, maar ze leken heel echt.

Met de bus van zessen kwamen we pas thuis en we wuifden de notaris, die nog een eindje verder moest, hartelijk na.

'Hoe heb ik het nou?' riep mijn moeder al in de gang. Een walgelijk schone geur kwam ons tegemoet, van boenwas en zo. 'Wat is dat voor een manier, om mij zo in ongerustheid te laten zitten? En we hebben nog al Jan-in-de-zak!'

Omdat we met ons drieën waren, voelden we ons sterk en onaantastbaar. We bleven waardig en lieten haar uitpruttelen.

Toen de foto's thuiskwamen bekeek mijn moeder ze met een verbluft gezicht.

De notaris en mijn vader zaten op krullige stoelen en wij, de kinderen, stonden erachter, ieder met een hand op een stoel. En de zuilen waren zo echt, je zou zweren dat we in een Romeinse tempel waren geweest. 'Wat een krankzinnig idee...' prevelde mijn moeder. 'En dan met de notaris!'

'Wat?' zei mijn vader afwezig. 'Oh, dat... tja...'

En hij verdween neuriënd in zijn studeerkamer. Want die was gedaan. En Goethe was naar behoren afgestoft.

Wijntje en Dina

De plaatjesmakers uit mijn jeugd waren Rie Cramer en Daan Hoeksema. Ze vergiftigden sprookjesboeken, jeugdrubrieken en kindertijdschriften. Bij elke verjaardag kreeg ik prentenboeken van die twee. Waarom ik ze haatte, kon ik toen niet verklaren. Nu weet ik het: ze gaven geen lucht af, ze stonken noch geurden en ze lieten geen enkel deurtje open, ze sneden domweg iedere pas af. Precies zo levenloos, althans voor mij, waren de boeken van Schuil, die van Osselen-van Delden, van Osenburggen en al die reeksen boeken met zinnetjes als: 'Zij lachten en grapten tot de anderen zich bij hen voegden.'

Van de zondagsschool kreeg ik op gezette tijden dikke, christelijke boeken in slappe, gele omslag. Ze gingen over ketters die werden verbrand. Eerst gemarteld, daarna de brandstapel op. Er was ene Wijntje, die psalmen zong tot het laatste toe. Haar voeten waren al verkoold, heur haar was afgeschroeid, een laatste halleluja voordat het vuur het zakje buskruit op haar borst bereikte, een korte knal en haar ziel vlood in de armen van haar Heiland.

Dat was andere koek dan Rie Cramer. Het was schokkend en heerlijk. En omdat Wijntje een bigotte zeur was, gunde ik haar het vuur van harte. De hang naar geweld en marteling zit er al vroeg in en moet bij mij ook tamelijk sterk geweest zijn, gezien de hoeveelheid vrome taal en preekpraat die ik door moest voordat de beul Wijntje eindelijk te grazen nam. Wat een ontzaglijke, verbale rijstebrijberg voor je lust werd bevredigd. Terwijl je nu simpelweg naar films kunt gaan als 'The Devils' of 'A Clockwork Orange', en het bloed je in de schoot stroomt zonder een enkele bijbeltekst, terwijl Wijntje dan ook nog verkracht wordt.

Het waren gelukkig niet uitsluitend martelaren die me

boeiden. Er was een lekker huilverhaal van een stervende hond en een dronken vader, samen in één boek, maar welk was dat toch? Verder alle avonturen van het survivors-type: *Robinson Crusoe, De Scheepsjongens van Bontekoe,* Poolreizen, Jules Verne. Maar de twee boeken die bléven, van mijn prille jeugd af tot nu toe, zijn Andersens *Sprookjes* en *Alice in Wonderland.* Van beide wist ik dat ze uitsluitend mij toebehoorden en niemand anders. Ik hoefde ze met niemand te delen, in tegenstelling tot *Pietje Bell* en *Dik Trom,* zalige jeugddijtjeskletsers, maar algemeen goed. De sprookjes van Andersen groeiden met me mee, of ik groeide met hén mee, maar dat is hetzelfde. Ze hadden een niet ophoudende verte. Achter een poort was weer een poort, je liep nooit vast, er bleven overal raadselachtige heuvels en zwarte holen en in ieder hol zat een Ding verborgen. Ik moest ervoor betalen met angst, maar dat had ik ervoor over.

Méér angst bij Alice. Veel meer angst, omdat er geen enkele geruststellende figuur in voorkomt. De maartse haas, de rups, het konijn, de hertogin en de hoedenmaker: het zijn allemaal vijandige douanebeambten in kinder-Kafka-land. De enige, ragdunne band die Alice heeft met veilig thuis, is af en toe de gedachte aan haar kat Dina: '...als Dina hier was...'

Altijd wanneer ik het boek las, was ik Alice zelf, maar ik nam Dina stiekem mee. Dierbare poes én oudere zuster, gemengd tot een lief wezentje dat me bij de hand hield tussen al die vervreemdende effecten, een ontnuchterend super-egootje dat me hielp om de angst weg te spelen. Het vreemde is dat Dina nu nog altijd met me meegaat wanneer ik een bang boek binnentreed. Wijntje is verdwenen. Of niet?

Een monnikje tussen de bruiden

Toen we in de derde zaten, ging de meester van de vierde dood. We kenden hem bijna niet, maar het was toch heerlijk, want we mochten allemaal witte jurken aan met zwarte sjerpen. Toen dat werd aangekondigd en er bovendien werd bij gezegd dat we met die jurken aan samen een krans mochten dragen en een lied mochten zingen voor het hek van het oude kerkhof, toen kende onze vreugde geen grenzen meer. Het was natuurlijk een strikt ingehouden zwijgende vreugde, een vreugde bovendien dooraderd met schuldgevoel, want zelfs al ben je acht, dan weet je toch bliksems goed dat je bedroefd moet zijn bij zo iets. De meisjes praatten dan ook zacht en ernstig met elkaar over de witte katoenen jurken met strookjes kant, we praatten met gedempte rouwstemmen, maar met levendige krentoogjes, precies zoals volwassenen doen in een sterfhuis, maar precies zoals bij volwassenen viel er wel eens eentje met een hoge giechelstem uit de toon; die werd dan door de anderen voor ongevoelig gehouden. Kortom, we genoten.

Ik herinner me nog het wakker worden op de dag zelf. Wat is er ook weer voor prettigs vandaag? O ja, de begrafenis, witte jurk met zwarte sjerp.

Maar toen kwam de alles verpletterende slag: moeder vond het te mistig. 'In november met een enkele witte jurk over de koude weg? Je mag de witte jurk aan met je bruine jasje eroverheen!'

O afschuwelijk, afschuwelijk... dat moeders met hun kouvat-complex kinderfeesten bederven, alla, het is zó algemeen, het is bijna redelijk, maar dat ze nu ook nog de begrafenissen bederven, dat is het summum. En omdat de stoet van school uit langs ons huis moest trekken, waar moeder voor het raam zat te controleren, kon ik het vermaledijde bruine manteltje niet uitlaten. Ai, dat bruine-beren-kroesmanteltje tussen al die witte jurken...

Voor het raam zat moeder en wuifde gedempt, maar ik haatte haar en keek niet. Ik was een uitgestotene, een prop bruin pakpapier tussen het leliënboeket, een gekke fluittoon in een plechtige treurmars. Daar liep ik als een monnikje tussen de bruiden. Al die meisjes om me heen keken bedroefd, maar ik mocht niet bedroefd kijken, dat kwam mij niet toe, mij, hobbezak, ik voelde hun koude minachting. We trokken langzaam de hoek om, de weg langs waar de huizen ophielden. Het laatste huis was het klompenwinkeltje van Ploon en vrouw Ploon stond op de stoep te kijken met haar negenentachtig kinderen en kleinkinderen en schoonzusters. Tussen al die kille nieuwsgierige gezichten was het gezicht van vrouw Ploon zo vol begrip en ontsteltenis, dat ik het volgend ogenblik het manteltje had uitgetrokken en het haar toegooide. Ze ving het op en lachte niet, want het was per slot allemaal even ernstig en plechtig.

Er zijn nooit leeuweriken in november, maar speciaal voor mij zong er nu ineens een enorm leeuwerikenkoor het lied van mee-mogen-doen. De meisjes naast me keken naar me en glimlachten droevig en ik glimlachte droevig terug, heerlijk droevig. En de leeuweriken jubelden, ik was wit tussen de witten.

Met het bruine-beren-kroesjasje was ook die vreselijke eenzaamheid weggegooid. Nu voelde ik opeens een warm medelijden met het meisje Paulientje, dat een jurk met een blauw ruitje aanhad, en dus niet voor honderd procent wit was. Onder het zingen stond ik naast haar en betrok haar in mijn weelde.

En pas toen al die gevoelens verwerkt en bezonken waren, toen dacht ik aan de meester van de vierde. Eventjes, met een pang van schrik. Maar vooral niet lang, want we hadden immers nog de terugtocht in het vooruitzicht, over de weg

in de mist, allemaal met witte jurken, allemaal met witte jurken...

Vrouw Ploon stond op de stoep met het manteltje over de
arm. Waardig nam ik het van haar aan, zoals een danseres die
na het optreden haar blote schouders bedekt.

Naar de wei

Het was een gewone openbare lagere school, niet een 'School met den Bijbel', zoals in zoveel andere dorpen, en het onderwijs was prachtig.

In mijn hele verdere leven heb ik niet zoveel geleerd als in die zes jaar bij juffrouw De Vos en meester Van Brugge en meester Abrahamse. Opstellen maken en geschiedenis en aardrijkskunde en moeilijke deelsommen, ik kon het allemaal makkelijk. Het zou dan ook een wolkeloos schoolleventje geweest zijn, ware het niet dat ik me altijd anders voelde dan de rest van de klas en altijd weer wanhopige pogingen deed erbij te horen.

Pas in de vijfde klas kregen we voor het eerst een rapport. Het mijne was subliem. Negens en zelfs tienen, terwijl ik later op de middelbare school nooit veel verder dan een zes-min ben gekomen. De meester prees me openlijk voor de klas. Ellendig was dat. Daarna was er zingen. We zongen altijd het geijkte repertoire uit *Kun je nog zingen, zing dan mee.* Daar was dan een verplicht nummer: 'Hoe zachtkens glijdt ons bootje' en op deze dag was het: 'In 't groene dal in 't stille dal'.

Achter me zat een jongen die een paar jaar ouder was dan de rest omdat hij telkens bleef zitten. We zongen dus het 'Groene Dal' en juist toen ik luid en helder meezong: 'om ieder bloempje te besproeien, ook 't klei-heinste', werd ik heftig in de rug gepord door Leendert, de jongen achter me. Ik keek om. Hij had z'n piemel uit z'n broek gehaald en zong: 'neuken, neuken', in plaats van de kleinste bloempjes.

Ik schrok zo heftig dat ik op m'n eentje door bleef zingen toen het lied uit was en het koor zweeg. De meester vroeg verbaasd of ik het zo mooi vond dat ik niet op kon houden en ik knikte.

Dezelfde Leendert verzamelde om vier uur wat jongens en meisjes om zich heen en vroeg of ze mee wilden naar het weiland van Daane. Hij vroeg het ook aan mij en hoewel ik nog steeds diep geschokt was, stemde ik dadelijk in, dankbaar dat ik erbij mocht horen.

Pas onderweg naar de wei vroeg ik wat er eigenlijk te doen was. De stier moest naar de koe.

Het stelde me licht teleur. Ik interesseerde me niet zo erg voor vee. Maar meehollen met een groep joelende kinderen achter die grote sterke en ontzettend smerige Leendert, ja, dat was toen wel iets.

We moesten achter een hek blijven staan. De koe in kwestie graasde vredig, niets vermoedend van wat haar boven het hoofd hing. Na lang wachten werd de stier opgebracht door twee boerenknechts. Hij zat aan een touw en gedroeg zich weerbarstig. Je kon duidelijk zien dat hij alleen maar weg wou. We dachten allemaal dat er niets van zou komen, toen de stier plotseling van gedachten veranderde en de koe beklom.

Ik keek voornamelijk naar de koe die tot mijn verwondering rustig verder graasde. Zo ongeveer als de vrouw die in bed onder haar hijgende man uitroept: 'Het plafond moet nodig weer 's gewit worden.' Na een paar happen gras was het voorbij, de stier werd weggeleid, de koe graasde vredig en wij gingen weg. Iedereen had iets van: was dat nou alles?

'Waar was je?' vroeg m'n moeder. 'Waarom ben je zo laat? Ik heb me zo ongerust gemaakt! Weet je dat het halfzes is? En wat zie je d'r uit! Vertel op, waar ben je geweest?' 'O,' zei ik. 'Met de anderen mee.'

'Maar waar naar toe dan?'

'Naar de wei van boer Daane.'

'Wat moest je daar dan? Was er iets in de wei van boer Daane?'

'Nee. Zo maar. Kijken naar de lammetjes.' 'Kijken naar de lammetjes? Er zijn helemaal geen lammetjes meer in de wei.'

'Ja hoor, daar zijn nog een paar lammetjes,' loog ik lam.

'En waar is je rapport? Je zou toch een rapport krijgen vandaag?' 'O, vergeten,' zei ik. 'Op school laten liggen.' Maar terwijl ik het zei wist ik dat het niet op school lag maar in de wei. Ik had het in m'n hand meegenomen naar de stier. Het moest nog bij het hek liggen.

'Waarom kijk je zo benauwd,' vroeg m'n moeder. 'Eet je boontjes op, dan krijg je griesmeelpudding.'

Ik kon geen boontjes en griesmeelpudding naar binnen krijgen omdat daar binnen een grote zwarte bonk angst zat. Rapport verloren. Misschien voorgoed.

De tafel was net opgeruimd toen er werd gebeld. Mijn moeder deed open. We hoorden een gemurmel bij de voordeur. Toen kwam ze terug met het ietwat morsige en kreukelige rapport.

'Wel wel,' zei ze. 'Nu heb ik gehoord wat jij te zoeken had in de wei.'

'Wie was het dan?' vroeg m'n vader. 'De knecht van boer Daane. Hij had het gevonden.' 'Aardig van 'm,' zei m'n vader. 'Laat eens gauw kijken.' Ze keken samen in het rapport. Alle gram en misnoegen smolt bij het zien van de cijfers. 'Nou nou,' zei m'n vader. 'Voor taal een tien. En voor ijver een negen.'

'En voor rekenen een acht,' riep m'n moeder trots. 'En voor gedrag weer een tien. Daar ben ik het niet mee eens. Van mij krijg je een drie voor gedrag. Wat jíj vanmiddag gedaan hebt.' 'Wat heeft ze dan gedaan?' vroeg m'n vader. 'Dat vertel ik je later nog wel eens,' zei ze. En tegen mij: 'Dat je naar zó iets gaat kijken!' Voor haar was alle seks onuitsprekelijk smerig. Ook het gedrag van koe en stier verdiende in haar ogen geen tien.

'Maar wat een mooi rapport,' zei ze. 'Die vlekken krijgen we er nog wel af.'

Uitgelachen

Een van de duizenden Belgische oorlogsvluchtelingen die naar Nederland kwamen was Mietje, onze huisnaaister. Ze zat in een zijkamertje aan de naaimachine van mijn moeder geketend en maakte van lelijke oude kleren lelijke nieuwe kleren.

Volgens mijn herinnering zat ze er onafgebroken dag en nacht, jaar in, jaar uit en zit ze er nu nog, als geest. Al naaiend vertelde ze afgrijselijke verhalen over de Duitsers. Wat die allemaal gedaan hadden in België. Vooral in kloosters. Vooral met nonnen.

Ik luisterde ademloos. Een keer vertelde ik zo'n verhaal op school aan de andere kinderen, blij dat ik kon scoren met een sensationeel bericht: 'De nonnen in België worden eerst in stukken gehakt en daarna verkracht,' zo vertelde ik.

Het was eerst even stil. Toen kwam er hoongelach. 'Da kannie,' zeiden ze allemaal.

Ik hield vol, overtuigd dat Mietje het zo verteld had. Ik kon me best voorstellen dat nonnen eerst in stukken werden gehakt en daarna tot poeder vergruizeld, zoals gestampte muisjes, want zo begreep ik het woord verkracht.

Uitgelachen worden was overigens mijn lot op school. Mijn matrozenkraagje, mijn leren laarsjes, mijn verkeerde uitspraak van het Zeeuws met een brouwende rrrr, dat alles was anders en dus gek en dus lachwekkend.

Groos was ik, zeiden ze. Groos (groots), het Zeeuwse woord voor trots. Groos werd ik gevonden, hoezeer ik me ook in bochten wrong en hoezeer ik me ook vernederde om toch maar net zo te zijn als zij, het hielp geen zier.

Ik was in die klas de enige uit een stads milieu, de enige dus met een andere huidskleur en dat is altijd bitter. Gelukkig kon ik goed bikkelen. Elke dag, op iedere gladde stoep zaten meisjes twee aan twee hartstochtelijk te bikkelen, met bikkels van been en een bal.

Niemand kon mij verslaan met bikkelen en dat leverde waardering en gezelschap op. En gelukkig had ik luizen. Dat betekende althans in één opzicht precies te zijn als iedereen.

Onder de les in de schoolbank nam je een dun lokje haar in je hand, je wreef er met twee vingers langs en je voelde een bobbeltje. Een neet. Die neet schoof je dan langzaam van het haar af, je stak hem in je mond en at hem op, intussen met een peinzende blik luisterend naar de les van meester Schrier.

Dat opeten van neten, hoewel usance, stuitte mij tegen de borst. Ik gaf mijn neet aan m'n buurmeisje. Thuis kamde mijn moeder mij met de fijne kam. Zuchtend en kermend schudde ze de kam leeg boven een kom petroleum. Daar vielen dan een paar wriemelende luizen in. 'Het beste zou zijn om je helemaal kaal te scheren,' zei m'n moeder. 'Maar je hebt zulk mooi lang haar, het is zo'n zonde.'

Op een keer werd ik uitgenodigd voor een verjaarspartijtje bij deftige mensen met luisloze kinderen. Nadat ik mijn cadeautje had afgegeven, bekeek de gastvrouw nauwkeurig mijn schedeltje, trok een vies gezicht en liet merken dat ik maar liever weg moest gaan.

Mijn moeder was verontwaardigd. 'Wat verbeelden die mensen zich! Rijk zijn ze, dat wel, maar het zijn zakenlui. En wij zijn intellectuelen. Wij mogen dus luizen hebben.' Toch werd ik daarna kaalgeknipt en uitgelachen op school.

Naast ons woonde de varkensslager Wabeke. Elke woensdagmorgen werd ik wakker door het ijselijk gegil van de keu die geslacht werd. Ik stopte mijn vingers in mijn oren en vluchtte naar de andere kant van het huis om het niet te horen, maar dat lukte niet.

Op een dag was het varken ontsnapt en liep, met het mes al in de keel, schreeuwend en bloedend door onze tuin. Het werd gauw weer gevangen door de slager en z'n knecht. Ik vond het gruwelijk, koos partij voor het varken en wilde niet meer aan een zwoerdje likken. Dat gaf weer stof tot hilariteit.

Er wordt wel eens gezegd dat komieken, clowns, lolbroeken, cabaretiers en humoristische schrijvers allemaal in hun jeugd zijn uitgelachen en daarom de rest van hun leven zelf alle anderen uitlachen. Misschien is het waar. Eén keer gebeurde het dat ik mocht meedoen: Janne werd uitgelachen.

Waarom Janne werd uitgelachen weet ik niet meer en waarschijnlijk wist ik het toen ook niet. Maar het was zo heerlijk om met z'n allen in een kring om het slachtoffer te staan en het uit te jouwen in koor. Ik geloof dat ik me tegelijkertijd schaamde. Of kwam die schaamte later? Of pas nu, nu ik het opschrijf?

Eenden

Nog altijd vraag ik me af hoe mijn vader aan die eenden kwam. Van een boer gekregen waarschijnlijk, maar geen enkele boer bij ons had eenden. Er was toch immers geen water?

Zuid-Beveland wordt omvat door twee sterke zeearmen, de Wester- en de Oosterschelde, zeewater alom, maar vaarten en sloten? Ho maar. Plassen? Nee. Schaatsenrijden op slootjes door de polder? Geen kans. Nu zal ik ongetwijfeld een brief ontvangen van de gemeentesecretaris te Goes, die mij toeroept dat Zuid-Beveland sinds de gedeeltelijke afsluiting van de Oosterschelde een dicht netwerk heeft van sloten, vaarten en plassen. En alle eendjes zwemmen in dat water. Goed, het kan wezen, maar ik heb het over toen. Vijfenzeventig jaar geleden. Geen water, geen eenden.

Mijn vader had zelf een slootje aangelegd, achter in de tuin, een wat modderig watertje en daarin spartelden een paar eenden. Zwemmen kon je het nauwelijks noemen in dat pierenbadje.

Mijn vader koesterde de eenden, sleepte telkens water aan, voederde ze met brood tot ergernis van mijn moeder. Brood was schaars. Het was oorlog. We maalden zelf tarwekorrels in de koffiemolen en bakten zelf brood, want het regeringsbrood was niet te vreten. Vergelijkbaar dus met WO II.

Brood was een moeilijk punt. Brandstof was schaars. We stookten turf en kolengruis, stikten van de rook en kleumden tegelijkertijd.

Het was op ieder platteland gewoonte om de dominee voedsel te brengen. Vlees, eieren, boter en kaas. Mijn moeder was tegen die gewoonte. Ze vond het vernederend. Lachend, vriendelijk en vrolijk vertelde ze heel duidelijk aan de boerinnen dat ze het allemaal niet nodig had.

We hadden alles uit de tuin en eigen kippen, maar een paar eendeëieren zouden welkom zijn geweest. Helaas, de stakkers legden niet. Maar hoe meer ze verkommerden, hoe sterker mijn vader zich aan de eenden hechtte. Ik had de indruk dat hij veel bezorgder was over de eenden dan over al zijn gemeenteleden bij elkaar.

Op zekere zondag waren er vreemden in de kerk. Dat was zeer ongebruikelijk en het veroorzaakte opschudding. Twee onbekende heren onder de preek, dat kon maar één ding betekenen: het waren hoorders. Hoorders uit een andere gemeente die kwamen luisteren of de preek van mijn vader naar hun smaak was, niet te zwaar en ook niet te licht.

Uit welke gemeente kwamen ze dan? Dat werd snel bekend. Uit Sittard. En nu maar wachten of er een Beroep kwam.

Het was een spannende tijd. Mijn moeder was erg opgewonden want ze verveelde zich te pletter en iedere verandering zou een zegen zijn, ook al werd Johan beroepen in Wladiwostok.

Het beroep kwam. Mijn ouders gingen naar Sittard om te praten en te kijken naar het huis, de pastorie. Een kleine gemeente, want Sittard was katholiek. Een mooi huis, vond mijn moeder. Kleiner en behaaglijker dan onze koude, holle pastorie. Nauwelijks een tuin.

Een periode van ruzie volgde. 's Nachts werd ik wakker door de heftige discussie in de kamer naast de mijne, de ouderlijke slaapkamer.

Het traktement was daar hoger, het huis rianter en bovendien was het daar een stad en geen dorp.

Mijn vaders bezwaren kon ik slechter verstaan, ze waren verontschuldigend en zwakjes defensief. Alleen verstond ik af en toe het woord 'eenden' en ik hoopte dat hij het zou winnen, ook omdat ik Sittard een griezelig begrip vond. En toen vertelde mijn moeder mij op een ochtend, dat we niet zouden gaan.

De zondag daarop verklaarde mijn vader op de preekstoel dat hij het beroep niet had aangenomen. Hij zei het na zijn preek, toen de dienst haast was afgelopen. Ik weet niet meer de precieze bewoording waarin hij het zei, maar in elk geval kwam het erop neer dat God hem had gevraagd te blijven waar hij was. Dat bracht bij mij een schok teweeg. Dat was God niet, dat waren de eenden. Waarom zei hij niet gewoon: 'Ik blijf liever bij m'n eenden'?

Maar de gemeente zong een dankbare psalm, iedereen was oprecht gelukkig en zelfs mijn moeder die zo gedramd had, was nu oprecht geroerd omdat de mensen zoveel van domi nee hielden. 'Hoe 't mogelijk is, begrijp ik niet,' zei ze, 'maar ze zijn dol op 'm.' Na een paar dagen toonde de kerkvoogdij samen met de kerkeraad hun dankbaarheid. Een cadeau. En wat voor cadeau? Wijn. En niet een paar flessen, nee, een *anker* wijn. Dat was achtendertig liter in enorme glazen vaten. En ze lustten helemaal geen wijn, mijn ouders. En bovendien was het malaga, een zware zoete Spaanse wijn.

Dertig jaar lang vroeg mijn moeder aan elke visite: 'Wil je een lekker glaasje malaga?'

Prieel

In mijn herinnering was de tuin immens groot en op die zomerdag bloeide alles tegelijk. De blauweregen, de gouden-regen, de sering en de rozen. Dat kan niet allemaal zo ge-weest zijn. De tuin was veel kleiner toen ik er als volwassene nog eens kwam, er bloeide maar weinig en het sprookjes-achtige prieel was enkel maar een wrak rieten bouwseltje. Maar die zomerdag was warm en vol geuren en bloesem en zoemende bijen.

Ik zag m'n vader bezig takjes over een plas water te leg-gen, met aandacht en heel voorzichtig.

'Wat doet u nou?' vroeg ik.

'Ach...' zei hij verlegen en wat verontschuldigend, 'dit is de weg van de mieren en de mieren konden niet verder vanwege die plas. Nou help ik ze een beetje.' Inderdaad bereikte de file mieren via de takjes de overkant van de plas.

In het prieeltje zaten mijn moeder en mijn tante Mieke. Ze dronken thee en babbelden vrolijk. M'n vader bleef zoveel mogelijk uit de buurt.

Tante Mieke was kort en dik, evenals mijn moeder. En ook zij was met een dominee getrouwd.

Zodra m'n vader veilig uit de buurt was, begonnen ze te praten over hun mannen.

'Ach Truida,' zei tante Mieke. 'Mijn Siebe is een Fries. Dat zegt toch alles? Friezen zijn geen mensen.'

'Je bedoelt dat je nergens met 'm over kan praten?' vroeg m'n moeder.

'Precies. Nergens over. Volstrekt onmogelijk om mee om te gaan.'

'Maar Mieke,' zei m'n moeder. 'Johan is net zo. Luistert ook niet, ook volstrekt onmogelijk om mee om te gaan. Zal ik je eens wat zeggen? Mannen zijn onmogelijk om mee om te gaan. Ach, lieve Mieke. Mannen zijn geen mensen!'

'Zeer waar,' zei tante Mieke. Ze schaterden allebei en dronken thee.

'Het leven is moeilijk,' zuchtte mijn moeder.

'Het leven is één zweepslag,' zei tante Mieke.

Ze begonnen nu aan het thema waarvoor tante Mieke helemaal uit Joure was gekomen met een suikerbrood in haar koffer.

Ze moesten het hebben over hun moeder, mijn godsdienstwaanzinnige grootmoeder, die nergens was te handhaven en van het ene familielid naar het andere werd geschoven.

'We hebben haar toch ook een poos in huis gehad,' zei m'n moeder. 'Maar het bleek absoluut onmogelijk. Ze moest weg en ik heb schuldgevoel. Een heel groot schuldgevoel.'

'Ik ook,' zei tante Mieke. 'Maar zal ik je eens wat zeggen, Truida? Liever schuldgevoel dan een seniele godsdienstwaanzinnige moeder in huis.'

Ze moesten weer vreselijk lachen en tegelijkertijd huilen, want daar waren ze sterk in. Toen ze een paar jaar later het graf van hun moeder bezochten, stonden ze te huilen bij het verkeerde graf. Toen ze dat ontdekten konden ze niet meer huilen op het goede graf, omdat ze te hard moesten lachen. Hun schuldgevoel was echt. Toen ik zelf later mijn oude demente moeder niet in huis nam, moest ik denken aan een oud sprookje:

Er was een vader-vogel die z'n kindje-vogel op de rug nam toen het bos in brand stond. Hij vloog met het kindje naar een veilig eiland verderop. Onderweg vroeg hij aan het kleine vogeltje: 'Als jij groot bent en ik oud, zul je me dan ook op je rug nemen en in veiligheid brengen?'

'Nee,' zei het kleine vogeltje. 'Dat zal ik niet doen, maar ik zal wel mijn eigen kindje uit de brand redden.'

Die zonnige dag bleef het schuldgevoel overheersen. Er was immers niet alleen de godsdienstwaanzinnige oude moeder, nee, er was ook de zuster Bet, die niet deugde, die het brede pad was op gegaan, eerst maîtresse was geweest van een heer met een rijtuig, maar dieper en dieper was gezonken in de ontucht.

'Weet jij waar ze nu is, Mieke?'

'Al sla je me dood, Truida, ik zou het niet weten.'

'Ik heb gehoord van onze broer Willem, dat ze in een huis zit in Amsterdam.'

'Zit ze in een huis in Amsterdam? Wat vreselijk.'

Ik luisterde naar dit gesprek en begreep niet waarom het zo vreselijk was om in een huis in Amsterdam te zitten.

'Vind je dat ik er eens heen moet gaan, Mieke?'

'Nee, Truida, dat moet je niet doen.'

'Maar het is toch onze zuster?'

'Maar je kunt toch niet naar zo'n huis in Amsterdam gaan?'

'Nee, dat is waar. Misschien moeten we haar wat geld sturen.'

'Geld sturen? Als ze in een huis in Amsterdam zit, dan verdient ze toch geld als water? Kom nou, geld sturen!'

'Je hebt gelijk, Mieke. Maar ik heb wel schuldgevoel.'

'Ik ook, Truida. Maar wat een heerlijke dag.'

Mijn vader was naar z'n studeerkamer gevlucht, zoals hij altijd deed als er onraad in de lucht zat. En een bezoek van tante Mieke was onraad.

De dames bleven in het prieeltje lachen en schreien tot de zon weg was en het kil werd. Toen gingen ze naar binnen. Ik bleef nog even in de geurende tuin. De takjesbaan over de plas was gebroken en de mieren liepen radeloos te hoop aan de oever.

Ik legde de takjes weer goed en dacht onderwijl: Wat voor huis zou dat zijn in Amsterdam?

Wullem

Er werd gebeld.

Wanne, onze dienstbode, deed open.

We hoorden gemurmel op de stoep en de voordeur sloeg dicht.

'Wie was het?' vroeg mijn moeder.

'Wullem van het station. Of dominee direct komt.' Mijn moeder werd bleek, sloeg haar handen voor haar gezicht en kreunde.

'Weet je ook wie het is?' vroeg ze. 'Dat heeft ie niet gezegd. Hij was meteen weer weg,' zei Wanne. Mijn moeder ging onder aan de trap staan en riep naar boven: 'Johaaaan!' Haar stem klonk als de doodskreet van een spreeuw en mijn vader kwam grimmig de trap af. Hij kende het geluid, hoefde niet te vragen: 'Wat is er?' Ook hij vroeg: 'Wie is het?' Dat wisten we dus niet. We wisten enkel dat Wullem was geweest, de onheilsbode.

Mijn vader trok zijn lustre jasje uit en z'n overjas aan. Met een woedend gezicht ging hij de deur uit. Het station was een kwartier lopen van ons huis en we wachtten af. Er waren twee mogelijkheden, allebei even verschrikkelijk. Hij zou terugkomen met mijn grootmoeder in haar wagentje of hij zou terugkomen met tante Bet, mijn moeders zuster.

Twee volstrekt onmogelijke familieleden, hoewel totaal verschillend: de godsdienstwaanzinnige en de hoer. Mijn tante Bet was een hoer.

Dat kwam zo:

Al op zestienjarige leeftijd was ze verleid door een Dordrechtse heer met een rijtuig. Toen was er geen houden meer aan. Eerst was ze maintenee, vertelde mijn moeder. Ze kwam voorbij rijden met de heer in het rijtuig, opgesierd met bont en veren. Daarna zonk ze lager en lager, zoals het hoort.

Ik wilde altijd graag weten hóé laag dan? En wat was een hoer? Maar mijn moeder kneep haar lippen op elkaar en wilde niets onthullen. Alleen dat alle pogingen om tante Bet weer op het rechte pad te brengen waren mislukt. De enige die haar nog zou kunnen redden was een diaken. Maar omdat ze de diaken al tweemaal van de trap had geslagen, was die kans miniem. Haar familie wou niets meer van haar weten, ook haar eigen moeder (mijn grootmoeder) niet. En toch stond ze af en toe in wanhoop op dat kleine station van ons dorp. Precies als mijn grootmoeder, al zagen ze elkander nooit. Twee stukken drijfhout, van de ene oom naar de andere tante gestuurd. Mijn grootmoeder leed op haar oude dag aan gal en godsdienstwaanzin. Ook zij werd af en toe, met wagentje en al, bij ons station afgeleverd en door Wullem aangemeld.

Ze waren allebei even erg. Mijn grootmoeder veroorzaakte stennis in de kerk, waar ze luidkeels huilde onder de preek en uitriep: 'Toch zijn we allemaal verdoemd, als je dat maar weet!' Het was ondraaglijk en mijn vader zei dan ook: 'Denk erom, ik wil haar niet meer in de kerk.' Dat zette kwaad bloed. Ze werd boosaardig en schreeuwde vanuit het logeerkamerraam dreigende bijbelteksten naar voorbijgangers.

Na een week werd ze door mijn vader met wagentje en al op een trein gezet naar weer een ander onwillig familielid. 'Ik heb er zo'n verdriet van,' zei m'n moeder dan snikkend van opluchting. Het was waar. Ze had oprecht verdriet, ook over haar zuster Bet. Als zij het was die door mijn vader werd meegebracht, dan vulde het hele huis zich met haar joelend gelach. Mijn ouders lachten niet mee. Ze droeg het restant van pels en pluim uit haar glorietijd. Ze had slordig geverfde lippen en een wolk van odeur om zich heen, precies zoals dat hoort bij iemand die lager en lager en lager is gezonken.

Mijn vader vluchtte naar z'n studeerkamer, na nog gezegd

te hebben: 'Denk erom, ik wil haar niet in de kerk.'

Mijn moeder praatte met haar. Ik mocht er niet bij zijn. Na minder dan een week werd ze naar het station gebracht, ditmaal door mijn moeder omdat m'n vader liever niet met haar gezien wilde worden.

Na afloop van zo'n bezoek kregen we wekenlang stroopvet op brood in plaats van boter. En dat kwam omdat zowel de grootmoeder als de tante geld meekregen als ze werden doorgestuurd. Veel geld om al dat vele schuldgevoel te dempen.

Toen besefte ik dat natuurlijk niet. Ik gaf de schuld aan Wullem, de onheilsbode. Zodra hij op de stoep stond wist je dat het zou gebeuren. Een van de twee nachtmerries kwam op ons af.

Geloof

Als kind bezat ik het vermogen mij totaal af te sluiten voor het Woord Gods.

Zowel thuis, als er uit de bijbel werd gelezen, als in de kerk, wanneer mijn vader preekte, alsook op de zondagsschool; zodra het maar iets met Gods Woord te maken had – en dat had het altijd – draaide ik een mentale knop om, keek door het raam naar buiten en droomde weg naar een eigen hemeltje zonder ruzie en zonder bijbelteksten.

Het bijbellezen thuis hield op door ruzie.

Mijn broer, een grote jongen die al op de hbs zat, zette plotseling een grote rode feestneus op midden onder Jesaja. Mijn moeder begon te giechelen. Mijn vader ging nog even door, ergerde zich aan het gelach, keek toen pas op en zag het. Er ontstond een hevige twist, waarna mijn vader de bijbel dichtklapte en... ik wou haast zeggen: er nooit meer een blik in sloeg, maar dat kan niet juist zijn want de bijbel was zijn werkgerei. Hij had boven nog bijbels zat, maar deze, van de eetkamer, werd in de kast gezet tussen een kookboek en *Tien wandelingen door Brugge*. En er werd aan tafel niet meer voorgelezen.

In de kerk zat ik naast mijn moeder die glacéhandschoenen droeg, haar voeten op een stoof met hete kooltjes hield en naar pepermuntjes rook.

Ik kon mijn oren helaas niet sluiten voor het erbarmelijke orgelspel, noch voor het slepend psalmgezang maar zodra de preek begon, richtte ik mijn blik op het licht dat door de hoge gotische ramen viel en mijmerde mijlenver weg in een feeënrijk.

Soms heb ik er spijt van. Ik benijd schrijvers als Jan Wolkers, Maarten 't Hart en Maarten Biesheuvel, allemaal ketters zoals ik, maar begiftigd met een machtige kennis van het Oude Testament en de tale Kanaäns.

En dan was er de zondagsschool in het gebouw Obadjah. Er hing een prent van Jezus. Een blonde Jezus met een goudblonde baard en krullen. Hij had blauwe ogen en hij keek een beetje gluiperig.

Ik mocht hem niet.

Onder aan de prent stond: Ik ben de Weg en de Waarheid en het Leven.

Ik geloof dat ik toen al dacht: Kom nou!

Er was niet altijd dezelfde zondagsschoolmeester. Ze wisselden elkaar af. We kenden hun namen niet, we zeiden tegen allemaal gewoon meester.

Op zekere zondag was er een die mij na afloop apart riep. Dat was al een tikje griezelig maar bovendien had hij gemerkt dat ik niet oplette.

'Anna,' zei hij, 'je moet je gartje aan de Gere Jezus heven.' In het Zeeuws wordt de g als h uitgesproken en omgekeerd.

Hij zei het zo dreigend dat ik vroeg: 'En anders?'

'Anders ben je voor eeuwig verloren,' zei hij.

Dat sloeg in. Een beetje huilerig kwam ik thuis en vertelde wat me was overkomen.

'Bespottelijk!' riep mijn moeder. 'Zie je nou Johan wat ze met dat kind doen? Dat kind denkt nu dat ze haar hart uit haar lijf moet snijden en het naar Obadjah brengen.'

'Dat denkt dat kind helemaal niet,' zei m'n vader. 'Dat kind is veel te intelligent om dat te denken. Ze begrijpt best dat ze Jezus moet liefhebben en dat is het hele eiereneten.'

'Maar anders gaat ze naar de hel!' riep mijn moeder. En tegen mij: 'Wees maar niet bang hoor, de hel bestaat niet, punt uit.'

'Overdrijf toch niet zo,' zei m'n vader. 'Wie heeft het nou over de hel?'

'Voor eeuwig verloren! Wat kun je daar anders uit opmaken?'

Daar had mijn vader niet dadelijk antwoord op.

'Welke meester was het?' vroeg hij. 'Was het Arjaan of was het Govert?'

'Ik weet het niet,' zei ik. 'Het was die meester die altijd wipt.'

'Wipt? Hoezo wipt?'

'Op z'n tenen. Op en neer.' Ik deed het voor.

Mijn vader liet alle zondagsschoolmeesters langs zijn geestesoog gaan en probeerde zich hen wippend voor te stellen.

Toen vroeg hij, plotseling recht overeind zittend: 'Had hij het over de Heer of over de Here?'

'Over de Gere,' zei ik waarheidsgetrouw.

'Daar heb je 't,' riep mijn vader. 'Dan is het Schippers. Die is gereformeerd. Ik heb nog zó afgesproken dat hij niet meer onze hervormde zondagsschool mag doen. En nou doet ie het toch.'

M'n vader sprong op z'n fiets en reed weg met een grimmig gezicht, waarschijnlijk om de gereformeerde Schippers voorgoed uit zijn hervormde gemeente weg te rammen.

Hoe het afgelopen is weet ik niet. Ik weet alleen dat ik niet meer naar de zondagsschool hoefde en dat ze mij oud genoeg vonden voor de catechisatie in de consistoriekamer.

Helaas was dat weer een pak van het zelfde laken.

Precies dezelfde prent van de blonde Jezus hing ook daar. Bovendien waren er afbeeldingen van Palestijnse landbouwwerktuigen uit de tijd van Jezus. Er waren geen ramen. Ik kon niet naar buiten kijken. In plaats daarvan zag ik Palestijnse ploegen en eggen en de ietwat louche glimlach van Jezus die ik moest liefhebben want dat was het hele eiereneten.

Paard

Onlangs las ik een stukje uit de autobiografie van Astrid Lindgren, de Zweedse schrijfster van *Pippi Langkous* en vele andere prachtige kinderboeken. Ik las het niet zelf; het werd mij voorgelezen door een kennis die zei: 'Dit moet jou allemaal wel bekend voorkomen. Het leven op het platteland, de boerenhof met koeien en lammetjes en gruttepap na een koude arreslectocht door het wijde landschap. En paarden, omgang met paarden!' Kwam het me allemaal bekend voor? Ja, uit de boeken van Selma Lagerlöf, *Nils Holgersson* en *Gösta Berling* en kerstverhalen, al die romantische rimram. 'Dat heb jij toch ook allemaal meegemaakt in Zeeland?' vroeg mijn voorlezeres. Ik moest even nadenken. 'Helemaal niet,' zei ik met enig schuldgevoel. 'O nee? Kom nou. Zeeland, boerenland. Boerderijen. Wijd landschap. Dat herken je toch?' 'Nee,' zei ik. 'Nee? Hoe komt dat dan?' Ik dacht weer even na en zei toen: 'Ik kwam nooit buiten.'

Dat was natuurlijk niet letterlijk waar. Maar wij waren stadsmensen, we spraken het dialect van de streek niet en we hadden geen enkele boodschap aan landschap. Het enige paard dat ik kende was het paard dat voor de lijkkoets liep. Soms stond de begrafenisstoet even stil voor ons huis. Dan ging ik naar het paard dat een zwarte jurk aan had. Ik had medelijden met het paard, maar het keek mij gelaten aan alsof het zeggen wou: 'It's all part of the job, you know.'

Nee, we waren geen buitenmensen, we waren huismussen. De pastorie was een burcht waarin we ons veilig waanden tegenover de barre wereld van landbouwers.

Maar wacht, er was nog een paard dat ik kende. Het paard van de bode Paardekoper. De bode kwam langs met zijn wagen en bracht op verjaardagen taartjes uit Goes. Maar ook bracht hij iedere dinsdag en iedere zaterdag een portefeuille. En dat betekende de grootste weelde van ons bestaan. De wereld kwam binnen. Twee portefeuilles. Een met Hollandse tijdschriften en een met buitenlandse. Plus nog een kleintje met maandbladen. We kregen *De Wereldkroniek, De vrouw en haar huis, De Prins, Op de hoogte, De Haagse Post, Panorama* en *Het Leven.* In de buitenlandse portefeuille zaten onder andere *l'Illustration, The Illustrated London News* en *Punch.* En in het kleintje *De Nieuwe Gids* en andere literaire bladen, voor mij te moeilijk. De cultuur kwam binnen, hoewel dat woord nog nauwelijks bestond en *Het Leven* bepaald niet hoog cultureel was. 'Tssss...' zei mijn moeder als ze de foto's bekeek van dames in badpak, 'schandalig!' Ze genoot er intens van. Mijn ouders, wier literaire bagage tot die tijd had bestaan uit de *Camera Obscura,* Piet Paaltjens en De Genestet, werden nu geconfronteerd met moderne poëzie en essays. We werden wereldser.

Wat er met de portefeuilles ook mee naar binnen woei was de emancipatiegedachte. Mijn moeder raakte hevig geïnteresseerd in de Engelse suffragettes, de strijdsters voor vrouwenkiesrecht. 'Ze zit alweer in de gevangenis,' riep ze. 'Wie?' vroeg mijn vader. 'Mrs Pankhurst.' 'O, dat manwijf,' zei m'n vader schouderophalend. Mijn moeder protesteerde vlammend. 'Een heldin is het!' riep ze. 'En bij ons zou dat ook hard nodig zijn, de strijd voor vrouwenkiesrecht.' Mijn vader keek haar vol verbazing aan. 'M'n lieve mens, we hebben het al drie jaar,' zei hij. 'O ja?' Ze schaterde, want zo was ze wel, altijd lachen om haar eigen stommiteiten, maar toch gaf ze zich niet gewonnen.

'Kiesrecht of niet, er moet iets veranderen,' zei ze. Ze leidde een meisjesvereniging, Tabitha geheten. De meisjes, grotendeels nog in Zeeuwse kledij, dronken warme chocola uit een ketel en breiden voor de bazar, terwijl mijn moeder voorlas uit een stichtelijk boek. Maar haar opstandigheid tegen dit soort lectuur groeide. Toen ze een boek voorlas van mevrouw Van Hoogstraten-Schoch hield ze midden in een zalvende zin op, gooide het boek in een hoek van het lokaal en riep: 'Dat misselijke mens wil ik niet meer lezen.'

Behalve de meisjeskrans was er ook een vrouwenvereniging. En in beide gezelschappen ijverde mijn moeder voor emancipatie. Ze ruide meisjes op tegen hun vaders, de vrouwen tegen hun mannen en ze pleitte voor verandering van het rollenpatroon, terwijl dat woord nog in geen velden of wegen te bekennen viel. Het resultaat was dat verscheidene kerkeraadsleden bij mijn vader hun beklag deden. Mevrouw van de dominee had het te bont gemaakt. Hun vrouwen en dochters werden te los. Kon dominee daar niet 'ns iets aan doen?

Dominee kon daar niets aan doen. Het zaad was gezaaid en ontkiemde tegen de verdrukking in. De hele verandering was in huis gebracht door de portefeuilles. Bij ons gebracht door het paard van de bode. Dus toch nog paarden in mijn verhaal, al zijn het andere dan die van Astrid.

Schuldenaren

Het was zaterdag. Ons dienstmeisje Wanne werd naar bakker Nout gestuurd om een krentenbrood. Ze kwam terug met een wittebrood.

'Wat is dat?' vroeg mijn moeder.

'De krenten moet mevrouw d'r maar bij denken,' zei Wanne.

'Wie zegt dat?'

'Mietje zei dat.'

Mietje Nout was de vrouw van bakker Nout. Zij stond altijd in de winkel met haar handen in zwachtels.

'Breng dat brood maar terug,' zei m'n moeder. 'En zeg maar dat we voortaan naar de andere bakker gaan.'

'Hee hee,' riep mijn vader, opgeschrokken van z'n ochtendkrant, 'wat is dat nou...? Andere bakker... hee hee!'

Mijn moeder legde hem het delict van de krenten uit.

'We kunnen Mietje Nout niet voor het hoofd stoten,' zei m'n vader. 'Zij is een trouwe kerkgangster.'

'Ja, en ze heeft ook nog schurft,' riep m'n moeder.

'Ze heeft geen schurft, ze heeft eczeem aan haar handen.'

'Ook heel vies dus,' riep m'n moeder.

'Breng het brood maar terug,' zei m'n vader. 'Maar zeg niets over een andere bakker.'

Zo gebeurde het en Wanne kwam terug met een krentenbrood dat ze bij de andere bakker had gekocht.

Dit soort botsingen waren schering en inslag in ons huis. Trouwe kerkgangers mochten we niet voor het hoofd stoten, ook niet als ze ons rotte peren, muf meel of stinkende mosselen in handen duwden.

Maar eigenlijk waren het niet de kerkgangers die trouw bleven. Het was mijn vader zelf die door dik en dun trouw bleef aan een aantal gemeenteleden. Hij had een paar favorieten aan wie hij aandacht besteedde, zoals Evert de dorpsgek, hoewel die veel te gek was om überhaupt kerkganger te zijn.

Hij ging op huisbezoek en ziekenbezoek bij die mensen die hij graag mocht, terwijl hij de rest van de trouwe kerkgangers omzichtig vermeed, ziek of gezond.

Een heel gezonde houding overigens. Iemand die de hele mensheid liefheeft, is niet betrouwbaar.

Ik mocht een keer mee op ziekenbezoek bij Maria, een van zijn uitverkorenen. Maria was een bedlegerige weduwe die in onmin leefde met haar familie. De vete ging om de kralen. Iedere Zeeuwse, rijk of arm, had een snoer bloedkoralen. Maria had al jaren ruzie met haar broer Geert om het snoer kralen van hun moeder.

Al even zoveel jaren had mijn vader gepoogd vrede te stichten tussen die twee. Vergeefs.

Nu zat ik in de voorkamer van Maria's huisje en speelde met de poes, terwijl mijn vader in het alkoofje aan Maria's bedstee zat en het onzevader bad. Ze spraken het samen uit, zo hoorde dat.

'En vergeef ons onze schulden,' zeiden ze tegelijk. Toen ging mijn vader verder: 'Zoals wij...'

Maria zweeg.

'Zoals wij...' zei m'n vader dringend, 'kom Maria, ga door.' Vanuit de voorkamer riep ik luid: 'Zoals wij vergeven onze schuldenaren!' Ik dacht dat Maria haar tekst kwijt was, dus ik souffleerde.

Jammer. Ik had een moment suprême verstoord, het moment waarop Maria wel móést inzien dat ze haar broer Geert vergiffenis schuldig was.

'Dat had je niet moeten doen,' zei m'n vader toen we buiten waren. 'Ze was bijna zover. Maar ik geef het niet op. Ik ga ook met broer Geert praten, vandaag of morgen.'

Mijn moeder zei, toen we het voorval vertelden: 'Niet doen, Johan, die Geert is een rijke boer. En hoe rijker hoe gieriger, dat weet je. Hij geeft die kralen niet af en dus zal Maria hem eeuwig blijven haten. Bemoei je d'r niet mee.'

Maar als het om vetes ging was mijn vader zo taai als een terriër. Een dag later deelde hij ons mee dat zijn missie geslaagd was.

'Zijn ze verzoend?' vroeg mijn moeder verbaasd.

'Nog niet, maar Geert gaat haar morgen bezoeken.'

'Met de kralen?'

'Nee, natuurlijk niet. Zonder kralen.'

'Dan wordt het niks.'

'Het gaat toch niet om kralen,' zei m'n vader. 'Het gaat om een broer-zusterverhouding die weer goed moet komen.'

Bij dat alles voelde ik me een beetje schuldig. Mischien had ik het wel bedorven door mijn interruptie tijdens het ziekenbezoek.

Een paar dagen later kwam de koster, die ook aanzegger en doodbidder was, aan de deur in z'n zwarte pak.

'Heden overleed in de ouderdom van zevenenvijftig jaar Maria...' enzovoorts.

Maria was dood.

'Wist je dat al, Johan?' vroeg mijn moeder.

Hij knikte.

'En? Is Geert nog tijdig bij haar geweest voor een verzoening?'

Hij schudde z'n hoofd.

'Geert is niet gekomen?'

'Jawel.'

Heel moeizaam kwam het verhaal eruit.

Geert was bij Maria gekomen. Zonder kralen.

De ruzie was onmiddellijk ontbrand, zo hevig dat de emotie en de toorn een hartstilstand teweegbrachten bij Maria.

Mijn vader voelde zich schuldig, dat was te zien.

M'n moeder begon te lachen want ze zag de ironie, maar ze voelde zich meteen schuldig om dat lachen.

En zo kunnen we doorgaan met: Vergeef ons onze schulden.

Schreuf

'Daar had je allang iets aan moeten doen,' zei m'n moeder.

Mijn vader hief een vermoeid hoofd boven z'n krant en vroeg: 'Waaraan?'

'Aan dat kind.'

'Aan welk kind?'

'Je hebt weer niet geluisterd. Waar hadden we het nou zonet over!'

'O, je bedoelt het zusje van Wanne.'

'Ssst... niet zo hard. Wanne is in de kamer hiernaast bezig.' En hard fluisterend ging m'n moeder door: 'Je weet toch dat ze een idioot kind hebben bij Wanne thuis. 't Is een ongezonde toestand. Och lieve heer, dat kind, die Tannetje. Zo gek als een toereloer. En als je 't mij vraagt slaapt ze in de bedstee tussen haar vader en moeder in.'

'Nou en?' zei m'n vader. ''t Zijn godvruchtige mensen.'

'Net of dat er iets mee te maken heeft.'

'Dat heeft er alles mee te maken.'

'En die arme moeder van Wanne. Die schreuf!'

Het woord schreuf werd bij ons thuis gebruikt voor een bijzonder afgetobde sloof.

'Die moet in dat kleine huisje wassen en koken en strijken voor acht kinderen, wat zeg ik, nee tien geloof ik. Ze hebben maar één kamer en al die kinderen, bijna volwassen, slapen op zolder. Jongens en meisjes door elkaar.'

'Nou en?' vroeg m'n vader. 'Dat zijn ze gewend.'

'Maar die Tannetje moet naar een inrichting,' zei m'n moeder. 'En daar moet jij voor zorgen, jij bent de baas van de diaconie.'

'Onzin,' zei hij. 'Maar ik zal er eens over praten.'

Daarna dook hij weer in z'n krant.

We lazen de NRC. Dat wil zeggen mijn vader las de NRC. Ik was een kind van een jaar of elf en kon er niets boeiends in ontdekken. Mijn moeder vroeg steevast: 'Staat er iets in de krant, Johan?' En hij antwoordde steevast: 'Nee. Het rommelt in de Balkan, dat is alles.'

Die middag kwam Wanne, ons dienstmeisje, binnen met de schuchtere vraag of ze de oude kranten mocht meenemen.

'Voor bij ons thuis,' zei ze.

'En neem dan ook die pan soep mee,' zei m'n moeder. En tot mij: 'Loop jij even mee en help haar dragen.'

Onderweg naar Wannes huis zei ik: 'Ze hadden het over Tannetje. Tannetje moet naar een inrichting.'

Wanne schrok en liet bijna de soep vallen.

'Dat zal m'n moeder nooit goed vinden,' zei ze.

'Mag ik met je mee naar binnen, Wanne? Ik wou Tannetje zo graag eens zien.'

'Doe maar liever niet. Je zou misschien schrikken. Tannetje is krankzinnig.'

Dat wist ik en daarom juist was ik nieuwsgierig.

Het woord krankzinnig had iets gruwelijk fascinerends.

Toen Wanne de voordeur openduwde ging ik ondanks haar verzet mee naar binnen. Het was een heel klein arbeidershuisje met één kamer en daarachter een keuken, waar Wannes moeder aan de wastobbe stond.

Dus dat is nou een schreuf, dacht ik.

'Ik heb Zusje van de dominee meegebracht,' zei Wanne.

'Wat ben je groot geworden,' zei de schreuf. 'Kom je naar ons Tannetje kijken? Goed dat je de kranten hebt meegebracht. We waren er haast doorheen.'

Toen ging Wanne me voor naar de kamer. Er viel wat zon door de ruiten en eerst zag ik niets. Het leek of het sneeuwde, of er grote dwarrelende sneeuwvlokken vielen. Toen zag ik dat het snippers papier waren. De vloer was bedekt met een laag gesnipperd papier en tussen dat papier op de vloer zat Tannetje. Ze greep telkens een handvol snippers en gooide die de lucht in. Daarbij kraaide ze als een baby. Het was duidelijk dat hier iemand met groot genot aan het spelen was.

Een mooi bleek gezichtje had ze en mooi lang haar, maar toen ik naar haar grote grijze ogen keek, begreep ik wat er bedoeld werd met 'krankzinnig', en 'zo gek als een toereloer'!

Van onder haar lange nachtjapon staken blote voetjes met tenen die zich kromden en weer ontspanden, als teken van intens welbehagen. Tannetje was in een staat van verrukking en taterde en kwetterde terwijl ze snippertjes omhooggooide.

Toen Wanne de oude kranten voor haar neerlegde, werd ze heel stil. Ze lachte naar ons.

'Je kranten waren op, Tannetje,' zei Wanne. 'Nu kun je je gang weer gaan.'

Met een gelukzalige grijns begon Tannetje te scheuren. In reepjes en de reepjes weer in stukjes.

Af en toe reikte ze ons ieder een stukje toe, al babbelend. Vele jaren later zag ik voor het eerst *Hamlet* in de schouwburg en met een schok herkende ik Tannetje in de waanzinnige Ophelia, bloempjes uitreikend aan de koninklijke familie.

Toen ik met Wanne terugliep naar ons huis, zei ze: 'Zo zit ze hele dagen. En als ze maar kranten heeft is het goed.'

'Waar waren je broers en zusters?'

'O, die werken op het land, net als vader.'

'En als ze thuis zijn?'

'We hebben nooit last van Tannetje. We houden zoveel van haar, weet je.'

Een paar weken later vertelde Wanne mij fluisterend in de keuken dat er mensen gekomen waren om Tannetje weg te halen.

'En is ze dan nu weg?'

'Nee,' zei Wanne triomfantelijk. 'M'n moeder heeft ze de deur uit gezet, zeg het maar niet binnen. Je pa heeft er z'n best voor gedaan.'

De schreuf had gewonnen. Tannetje bleef nog heel lang blij met de NRC.

Hijgend hert

We hadden een harmonium in de salon. Een huisorgel, het standaardinstrument van elk christelijk burgerlijk gezin. Als je een toets indrukte kwam er eerst een zucht en daarna het gesteun van een dodelijk gewond dier. Een enkele keer speelde mijn vader enkele maten van een psalm of gezang, omdat hij het vroeger had geleerd, maar na drie maten riep mijn moeder: 'Hou op, Johan!'

En dus stond het harmonium daar nutteloos, behalve op de avonden dat de ouderling en z'n vrouw op visite kwamen. De ouderling heette Oele, geloof ik. Het kan ook Vreeke geweest zijn. In elk geval kwam hij regelmatig een avondje met zijn vrouw Jane bij ons in de salon. Mijn moeder schonk een glaasje malaga en er werd gepraat over dorpsaangelegenheden totdat Oele (of Vreeke, maar laat ik hem nu maar Oele blijven noemen) op het harmonium wees en vroeg: 'Zullen we?'

Het was een gevreesd moment. Er was niets aan te doen. Het onontkoombare geschiedde – Oele nam plaats voor het harmonium en speelde ''t Hijgend hert der jacht ontkomen'. Hij zong het er ook nog bij. Na een regel riep hij: 'Kom kom, zing toch mee.' Maar dat deden we niet. Ook zijn vrouw Jane bleef gegeneerd wachten tot het uit was.

't Hijgend hert der jacht ontkomen
snakt niet feller naar 't genot
van de koele waterstromen
dan mijn ziel verlangt naar God.

Misschien citeer ik de tweede regel fout. 'Snakt niet feller' moet misschien zijn 'dorst niet harder'. Hoe dan ook een heel lelijk lied op een heel lelijke zeurmelodie. 'Nu nog een glaasje malaga,' zei m'n moeder opgelucht als het uit was.

'Bleef hij maar van het harmonium af,' zuchtte ze als het echtpaar vertrokken was. Maar een paar weken later zaten ze er weer. En jawel, na een uur richtte Oele een geile blik op het orgel en zei: 'Kom.' Hij maakte z'n lippen nat, ging aan het harmonium zitten en daar sleepte het hijgende hert zich weer voort.

'Johan,' zei m'n moeder, 'dit is niet te dragen. Doe er wat aan.' 'Wat kan ik daar nou aan doen?' zei m'n vader. 'Het is een beste man en bovendien 'n ouderling.'

Toen ik op een dag uit school kwam zag ik een lege plek in de salon. 'Weggegeven,' zei m'n moeder toen ze mijn verwonderde blik zag. 'Aan wie?' 'Aan de familie Oele,' zei m'n moeder met een gelukkige en triomfantelijke glimlach.

We waren bevrijd. Zowel mijn ouders als ik voelden ons hijgende herten aan de jacht ontkomen. Het harmonium was het symbool geweest van al het lelijke, benepene en versuffende van de in die tijd heersende gristelijkheid.

Meer en meer vluchtten we in de letteren. Mijn vader bestelde boeken op een veiling in Delft en kreeg dan een heel pakket. Behalve de titels die hij had gevraagd kreeg hij ongewild Schopenhauer en Nietzsche en begroef zich daar jarenlang in. Mijn moeder las Thomas Mann en Herman Heijermans, terwijl ik vluchtte in de sprookjes van Andersen en Hauff.

Muziek kenden we niet. Er bestond nog geen radio. Eenmaal per jaar blies de fanfare in de muziektent, een heerlijke belevenis maar niet genoeg. Er werd ook een Pinksterfeest gevierd buiten in een wei, waarbij een vrouwenkoor 'Er ruist langs de wolken' zong tussen de koeievlaaien. En dat was alles, tot er werkelijk iets veranderde. We namen een piano.

Op de plek waar het harmonium had gestaan stond nu een tweedehands piano met een pianoloper, kaarsenhouders en een echte pianokruk ervoor. Een wonder. En al kon ik er geen 'Kip in 't water' aan ontlokken, toch waren die chaotische klanken voor mij een wereld van verrukking.

'Het kind moet pianoles hebben,' zei m'n moeder. Ik had op mijn tiende verjaardag een fiets gekregen en kon iedere zaterdag naar Goes rijden, waar ik in de Korte Vorst van een pianoleraar les kreeg. De meeste kinderen haten pianoles. Misschien lag het aan deze leraar, wiens naam ik vergeten ben, dat ik er met plezier naar toe ging en ijverig studeerde. Hij liet me geen vervelende toonladders spelen. Wel etudes van Czerny en al heel gauw eenvoudige stukjes Mozart.

'Dat kind is een genie,' zei m'n moeder tegen iedereen die over de vloer kwam. 'Nog geen jaar les en ze speelt Beethoven, Bach en "Het Gebed ener Jonkvrouw".'

De bezoeken van ouderling Oele werden schaarser en schaarser, sinds hij zelf een harmonium bezat. Onze piano gunde hij geen blik; het was een te werelds instrument. Zijn vrouw Jane kwam op een ochtend eitjes brengen en vroeg of ze even op de piano mocht spelen. Zachtjes en verlegen sloeg ze een paar akkoorden aan en knikte mij opgetogen toe. Eventjes waren wij twee hijgende herten aan de jacht ontkomen.

Notabelen

Zo omstreeks 1920 was de boerderij van De Groene (niet de partij de Groenen en ook niet de dames Groen) de mooiste van de hele omgeving. Zowel het huis zelf als het erf en de akkers en weiden en kerseboomgaarden eromheen leken wel zojuist gekamd, geborsteld en opgewreven. Ik mocht er altijd komen om naar de dieren te kijken, die in mijn herinnering altijd allemaal tegelijk jonkies hadden en het hele jaar door hun jonkies buiten zoogden in de zon.

Deze herinnering moet dus enigszins fout zijn, maar wel weet ik zeker dat ik op één dag een veulentje zag drinken bij z'n moeder en een paar meter verder een kalfje bij z'n moeder.

Merries die hun kind zogen, dat zal nu nog wel eens voorkomen maar een kalfje dat mag drinken bij moe? Dat bestaat alleen nog maar in Kenia.

Binnen was alles al even glanzend als buiten.

Boer De Groene was het middelpunt van het heelal. Hij zat in de enige gemakkelijke leunstoel, z'n kousevoeten op de warme haardplaat voor het flakkerend houtvuur. De ronde zwarte pluchen hoed op z'n hoofd, fluwelen broek, twee machtige zilveren knopen op z'n buik, wit haar van onder z'n hoed tot in de nek. Hij had een prachtig bruin gebeeldhouwd gezicht en hij zweeg.

Een wijze man, een zeer wijze oude man, zei m'n vader altijd. Niemand sprak hem tegen. We geloofden allemaal graag dat boer De Groene een zeer wijze man was. Hij sprak nooit één woord.

Zijn dochters, allebei ongehuwd, zaten links en rechts van hem op harde stoelen. Hun witkanten mutsen als vlinders op hun hoofd, bloedkoralen zo groot als duiveëieren om hun nek. Maatje en Marie heetten ze en ze hadden dezelfde strenge gezichten als hun vader; het hadden Spaanse infantes van middelbare leeftijd kunnen zijn. Zo vaak stuit men in Zeeland op vermoedelijk Spaanse invloed.

Maatje en Marie werden nooit juffrouw genoemd, dat woord bestond niet in de dorpsgemeenschap.

Een oudere getrouwde vrouw werd met 'vrouw' aangesproken, verder noemde men elkaar bij de naam.

Er was ook een Vrouw De Groene, wisten we, de vrouw van de boer, maar we kregen haar nooit te zien. Altijd alleen de boer zelf en zijn twee dochters, te midden van antieke Zeeuwse meubelen. Vermoedelijk werd op donderdagmiddag Vrouw De Groene in de antieke theestoof gestopt met de waarschuwing: denk erom, je geeft geen kik anders ga je d'r an!

Want donderdag was visitedag voor de notabelen. 'De dominee, de dokter, de notaris, drievoudig beeld van al wat goed en waar is', dichtte Greshoff indertijd. En inderdaad waren dat de echte notabelen van het dorp die zich op donderdagmiddag verzamelden om de ronde mahonie tafel van boer De Groene voor een kopje thee met een besuikerd speculaasje. Voor een kind een heel vervelende visite, maar toch ging ik altijd gehoorzaam mee in de hoop ook even naar buiten te mogen om de kettinghond in z'n hok toe te spreken.

Op zekere donderdagmiddag waren er behalve mijn ouders maar twee notabelen, die bovendien een beetje uit de toon vielen. De heer en mevrouw Snoep woonden in villa Pomona. Hij was iets hoogs in het leger geweest, niemand wist wat en hij droeg nog altijd zijn uniform, niemand wist waarom. De mensen in het dorp noemden hem Ko Oorlog. En zij? 'Zij blanket zich,' zei mijn moeder afkeurend, daarmee aangevend dat de Snoeps niet echt tot de notabelen gerekend konden worden.

Hun zoontje was erbij, die middag. Een schattig jongetje

in een matrozenpakje, een paar jaar jonger dan ik. Hij was erg verlegen, wilde geen handje geven, wilde geen speculaas- je aannemen en kroop onder de tafel, terwijl de grote men- sen hun kabbelende visitegesprek hielden. Ik had met het jongetje te doen en kroop ook onder de tafel om iets aardigs te zeggen en hem te aaien. Maar toen gebeurde het. Hij beet me. Hij beet me heel hard in mijn hand.

Ik krijste en wilde opstaan. De ronde mahonie tafel helde, kopjes thee en koekschalen begonnen te glijden. Het was een tumult van belang. Huilend hief ik een bebloede vinger omhoog en riep: 'Hij bijt!'

Mijn vader werd rood. Hij bukte zich en trok grommend het jongetje aan zijn matrozenkraagje onder de tafel vandaan. 'Dáár!' riep hij en gaf het kind een dreun. Natuurlijk nam Ko Oorlog dit niet. Hij kefte woedend en daar stonden twee notabelen tierend tegenover elkaar. De dames probeerden hen te sussen.

De oude boer bleef onverstoorbaar zitten bij het haardvuur en zei geen woord. Hoe de ruzie afliep weet ik niet, want Marie, de oudste van de twee dochters, pakte zowel mij als het jongetje bij de hand, zong een beetje, danste een beetje en voerde ons zingend en dansend naar buiten. 'Kom mee naar 't huisje,' zei ze.

Op het erf vlakbij stond een rond draaibaar huisje. Dat was Maries zonnehuis. Ze had de tering, zoals dat toen nog heet- te, en in dat huisje moest ze dagen liggen. Wij mochten erin, het jongetje en ik.

En Marie bleef buiten en duwde en duwde tot ze er ademloos mee op moest houden. Een carrousel was het, een draaimolen. We hadden het geweldig met ons tweetjes daar- binnen. En mijn vinger bloedde niet meer.

Sterfbed

Als we 's zondags uit de kerk kwamen om een uur of half-twaalf na een eeuwenlang durende kerkdienst, ging ik met-een naar de keuken, waar het rook naar gebraden vlees en appeltaart in de oven en waar het lekker warm was en waar de poes lag te spinnen bij het fornuis.

Ik moet oppassen, dit wordt een streekroman.

Trouwe dienstbode? Juist ja, de trouwe dienstbode Wanne zat daar en er ging zo'n rust van haar uit.

Gesteven schort? Ja hoor, gesteven schort, hagelwitte muts.

Ze stopte een sok? Nee, ze maasde een sok van m'n vader. Met een maasbal. Ik mocht een pan uitlikken en onderwijl keuvelde ze wat.

Op een van die zondagen zei ze: 'Wat erg hè? Van Leentje.'

'Welke Leentje?'

'Leentje Wisse.'

'O, die. Wat is er dan met 'r?'

'Dominee heeft 'r kreupel geslagen,' zei Wanne met een nauwelijks merkbaar lachje van voldoening.

Ik keek haar aan met een open mond vol appeldeeg.

'Heeft mijn vader...'

'Ja,' zei ze. 'Dominee is zo tekeergegaan.'

'Wanneer dan? Waar dan?'

'Gisteren. Aan het sterfbed van Ka.'

'Daar geloof ik niks van,' zei ik kwaad.

'Toch is het zo. Leentje Wisse kwam kreupel thuis want de dominee had haar geslagen. En dan nog wel bij een sterfbed.'

'Van wie heb je dat dan gehoord?'

'Van Leentje zelf. Dominee is toch zo driftig, dat weet je toch? En áls ie driftig is, nou, dan kan ie tekeergaan, dat weet je toch?'

Ja, dat wist ik heel goed. Een paar weken geleden had hij een stoel in mekaar getrapt. Een nieuwe stoel die m'n moeder bij een uitverkoop gekocht had. Er was ruzie ontstaan over die aankoop, een ruzie die escaleerde, zoals alle ruzies tussen m'n ouders, totdat mijn vader met een ferme zwarte laars de stoel kapottrapte en riep: 'Dáár dan!'

Waarna mijn moeder huilde en riep: 'Dierenbeul!'

Dat sloeg dan weer op de schop die hij de poes had gegeven tijdens diezelfde ruzie.

Maar dat mijn vader zo'n driftbui gehad zou hebben bij een sterfbed, dat kon ik niet geloven.

Wanne prikte in het vlees en zei. 'Ik ga opdoen. Jullie gaan eten.'

Zij bleef in de keuken en at daar. Zo hoorde dat toen.

Wij zaten binnen aan tafel. Mijn ouders vouwden hun handen en sloten hun ogen voor een kort zwijgend gebed, terwijl ik haastig mijn routinegebedje afraffelde: 'Here zegen deze spijze amen hebt u Leentje Wisse kreupel geslagen?'

'Wat zegt ze nou?' vroeg m'n vader. Vaak richtte hij zich tot mijn moeder, wanneer ik hem iets vroeg. Alsof hij wou zeggen: dat rare kind van jou begrijp ik niet.

'Heeft Wanne weer praatjes verteld?' vroeg m'n moeder.

Ze had het zelf van Leentje gehoord.

'Kreupel geslagen?' zei m'n vader vaag en peinzend.

'Ja, Wanne zei: bij het sterfbed van Ka.'

'O dat,' zei m'n vader, alsof hij dagelijks vrouwen kreupel sloeg aan sterfbedden van andere vrouwen.

'Misschien heb ik haar een duw gegeven,' zei hij. 'Dat moest wel.'

'Waarom dan?' vroeg ik.

'Laat je vader nou rustig eten, hij moet vanmiddag weer preken,' zei m'n moeder.

Later, toen ik met haar alleen was, vroeg ik verder.

'Ach, het wordt zo aangedikt door die mensen,' zei ze. Ka

was een heel oud vrouwtje dat alleen woonde en bezig was dood te gaan, bijgestaan door een paar buurvrouwen. Ze had om de dominee gevraagd.

Terwijl er gewacht werd op de dominee, begon Ka vreemde dingen te zeggen. Ze had een visioen. Ze richtte zich half op, staarde intens in de verte en zei: 'Ik zie de engel met het vlammende zwaard.' Een van de buurvrouwen liep weg om nog meer buurvrouwen erbij te roepen. Ka had de engel met het vlammende zwaard gezien. Al gauw was de kamer vol vrouwen die zich verdrongen om het bed van Ka.

'Zie je 'm nog, Ka,' vroegen ze. 'Is ie d'r nog, Ka?'

Ka staarde en mompelde. Ze konden niet verstaan wat ze zei maar het was duidelijk dat ze veel zag.

Ze gingen nog dichter om Ka heen staan, om toch vooral te horen wat ze zei.

'Wat zie je nou, Ka?'

Ka bleef mompelen.

De vrouwen lagen nu bijna boven op haar, om maar geen woord te missen. Want dit was een directe verslaggeving uit de hemel of in ieder geval vanuit een plek vlak bij de hemel-poort.

Toen kwam dominee binnen.

Hij werd ingelicht. 'Ze ziet de engel met het vlammende zwaard! En nou ziet ze nog veel meer.'

'Mag ik even met haar alleen zijn?' vroeg dominee.

Niemand luisterde. Ook niet toen hij het nog eens vroeg.

Wat Ka zag was te wonderbaarlijk om er iets van te mis-sen. En toen werd dominee driftig. 'Ik kom hier een woord van genade spreken,' zei hij. En dit zeggende duwde hij Leentje Wisse met kracht van Ka's bed af. De hele troep buurvrouwen verliet geschrokken het vertrek.

Niet alleen Leentje Wisse maar alle wisselaars had mijn vader uit de tempel verdreven.

'Ka is rustig ingeslapen,' zei hij later nog tegen ons. Verder werd er niet meer over gepraat.

Vis

Op een dag werd mijn vader onwel. De dokter werd gehaald en zei: Het hart. Ophouden met roken, niet meer in de tuin werken, veel rust. Ik geef je een drankje, morgen kom ik weer, goeiendag.

Een licht hartinfarct zouden we het nu noemen; dat woord bestond toen nog niet. Evenmin het woord cholesterol want de dokter zei ook nog: flink eten.

Mijn moeder maakte dus bruine bonen met spek voor hem klaar, geklutste eitjes en lammetjespap met boter.

Niet meer roken was vreselijk, niet meer tuinieren ook. Mijn vader werd klagerig en bangelijk, zoals de meeste mannen die iets aan hun hart hebben.

'Ik zal een spiertje rookvlees bestellen,' zei m'n moeder, 'daar knap je helemaal van op.' Het was een zware bonk rookvlees die door de bode werd gebracht. Elke dag werden er dunne plakjes afgesneden.

'Dat doet me goed,' zei m'n vader, werd dikker, lag de hele dag in zijn studeerkamer op een chaise-longue en las Sherlock Holmes in plaats van Plato.

De dokter kwam iedere dag en m'n moeder werd een beetje bezorgd om de hoge doktersrekening. Er was in die dagen geen kwestie van ziekenverzekering of ziekenfonds. Als je ziek was moest je de dokter betalen of doodgaan, een van beide. Soms sprong de diaconie wel eens bij, maar meestal wachtte je bij ziekte geduldig af tot het vanzelf zou overgaan. En vaak deed het dat ook.

Er kwam een hulpprediker, die m'n vader voorlopig moest vervangen. Hij logeerde niet bij ons maar nam wel deel aan de broodmaaltijd. Zijn naam was Vis. 'Hij laat zich dominee noemen,' zei m'n moeder. 'Maar hij is geen dominee. Hij is een evangelist, meer niet.'

Ze vond het onuitstaanbaar dat hij de kansel beklom. Wat niet academisch gevormd was hoorde niet thuis op de preekstoel.

Voor de maaltijd bad hij hardop, ook dat ergerde haar. Als bidden voor het eten überhaupt nodig of wenselijk is, zo vond zij, doe het dan zwijgend en pronk er niet mee. 'Hij pronkt er helemaal niet mee, hoe kom je daar nou weer bij,' zei m'n vader verbaasd.

'Jawel, hij zalft en hij vreet al jouw rookvlees op, dat toch al zo duur is.'

'Nou nou, een beetje kalmer kan ook wel,' zei m'n vader. 'Draaf niet zo door, vrouw.'

'De beunhaas! Onbevoegd preken over Job en de komijnekaas opeten tot het laatste stukje!'

'Ach, hij heeft een ongelukkige jeugd gehad. Hij komt uit Rotterdam.'

'Hoezo? Heb je dan altijd een ongelukkige jeugd?'

'Hij komt uit een van de armste wijken van Rotterdam. Uit Kralingen, geloof ik. Of Crooswijk.'

'Dat kan wel wezen,' zei m'n moeder ongeduldig, 'maar die jeugd is voorbij. Hij is nu volwassen en moet zich gedragen. Punt uit.' Zo was er altijd een gespannen sfeer aan de broodmaaltijd. Het ergste waren de grapjes die Vis maakte.

Toen het gesprek ging over de Zeeuwse klederdracht, zei hij: 'Het is voor een jongeman natuurlijk heel lastig om met een boerinnetje te vrijen. Je grijpt in spelden, ha ha.'

Op dat moment kwam Wanne binnen om af te ruimen. Ik dacht aan al die spelden waarmee haar kleding werd vastgehouden. Haar ondermuts, haar bovenmuts, haar beuk en doek, haar schort en al haar onderrokken.

Mijn moeder keek vol argwaan naar haar en toen naar Vis. Zou hij... ooit...?

Het gesprek ging een andere kant op en de maaltijd werd besloten met een luid uitgesproken dankgebed van Vis.

78

Mijn vader werd dikker, humeuriger en landeriger.

De dokter kwam en daarmee ook de doktersrekeningen. En Vis bleef preken. Het werd m'n moeder te veel.

Toen ze de dokter uitliet na z'n bezoek zei ze: 'Je hoeft niet meer te komen, Pfeiffer.'

Hij haalde verbaasd zijn wenkbrauwen op.

'Johan is genezen, dank zij jou,' ging m'n moeder voort. 'Hij eet als een wolf, hij slaapt als een os. Hij is beter. Dus het hoeft niet meer. Bedankt en doe de groeten aan Toos. Dag Pfeiffer.'

Ze duwde hem met zachte hand de deur uit. Toen mijn vader hoorde wat ze gedaan had, zonder hem erin te kennen, kreeg hij een driftaanval. En dat terwijl hij zich niet mocht opwinden, had de dokter gezegd.

Maar de dag daarop ging hij neuriënd de tuin in om te kijken hoe de snijbonen erbij stonden.

'Ze moeten nodig worden opgebonden,' zei hij. 'Maar denk erom, een preek maken doe ik nog niet. Daar ben ik nog niet aan toe.'

Heel voorzichtig stak hij een sigaartje op, legde Sherlock Holmes terzijde en sloeg Schopenhauer open. Vis bleef nog even meeëten.

Na zijn herstel beklom mijn vader weer de preekstoel, maar niet elke zondag en ook niet tweemaal per zondag.

Er kwamen andere dominees uit omliggende dorpen die voor hem invielen als hij oversloeg, maar vaak was het Vis die preekte. Ik weet nog precies hoe mijn moeder die naam uitsprak, vol diepe minachting. Het was niet alleen omdat hij onbevoegd en zonder diploma over Job preekte, ook niet alleen omdat hij hardop bad aan tafel en te veel rookvlees at, nee, het was zijn hele wezen dat haar afschuw inboezemde.

Omdat mijn vader nog veel moest rusten nam Vis allerlei herderlijke taken voor hem waar. De zieken bezoeken, de stervenden tot steun zijn en de doden begraven. 'Ze moeten niets van hem hebben,' zei m'n moeder. 'Je zult toch zo'n man aan je ziekbed krijgen! Of nog erger, aan je sterfbed. Op je begrafenis, alla, dan heb je d'r niet zoveel last meer van.'

'Wat heb je toch tegen die arme man?' vroeg m'n vader. 'Hij doet toch immers zijn best? Hij is ijverig en zeer gelovig.'

'Dat is het nou juist,' riep m'n moeder fel. 'Ik geloof niet in zijn gelovigheid. Hij is op ziekenbezoek geweest bij vrouw Teunisse en hij heeft haar gedreigd met verdoemenis.'

'Hoe weet je dat?' vroeg m'n vader.

'Van vrouw Teunisse zelf.'

'Ben je daar dan geweest?'

'Ja, met een pannetje soep.'

'Dat is helemaal niet waar. Jij bent niet met een pannetje soep bij vrouw Teunisse geweest.'

'Wel allemachtig! Wanne, kom 's even hier. Luister 's, Wanne, ben ik woensdag met een pannetje soep naar vrouw Teunisse geweest, ja of nee?'

''t Was geen soep,' zei Wanne. ''t Was enkel bouillon.'

'Nou hoor je 't, Johan. Ik was bij vrouw Teunisse met bouillon. Woensdag. En ze beklaagde zich omdat Vis haar gedreigd had met eeuwige verdoemenis.'

'Ach, ze overdrijft natuurlijk en jij ook. Er is nou eenmaal niks aan te doen, we moeten het nog een poosje met hem uithouden.'

'En hij maar iedere dag met ons meeëten.'

'Ja ja, schei maar uit. Dat heb je nou vaak genoeg gezegd. En dat ie veel kaas neemt en hardop bidt, dat zeg je iedere keer, maar dat weten we nu wel.'

'Maar wat ik nog veel erger vind,' zei m'n moeder. 'En waar ik me echt ongerust over maak... is Wanne hiernaast, o nee, ze is al naar de keuken... wat ik wou zeggen is dit: hij maakt haar het hoofd op hol.'

'Hij maakt Wanne het hoofd op hol?'

'Heb je dat dan niet gemerkt? Om de haverklap zit hij bij

haar in de keuken.'

Dat was waar. Ik was toen een jaar of elf en ik besloot het regelrecht aan Wanne te vragen.

'Vind je meneer Vis aardig?' vroeg ik.

'Hij is altijd heel aardig voor mij,' antwoordde ze.

'Ga je met 'm trouwen?'

'Wat zeg je?' Ze schoot in een lach. 'Hoe kom je daar nou bij?'

'Dat zou toch niet zo gek zijn?'

'Kind, hou op. Ik ben toch maar een gewoon dienstmeisje? Moet je m'n handen zien.' Ze strekte haar handen uit, dikke blauwe winterhanden waarmee ze de stoep schrobde in de vorstkou.

'Ik ben maar een dienstmeisje en hij is een heer,' zei ze. 'Maar hij is voor mij heel aardig. Hij zegt dat ik op m'n burgers moet gaan.'

Haar mooie blauwe ogen keken nu heel dromerig en wazig. Ze zag zichzelf als dame. Ze zou haar Zeeuwse kap afleggen en haar boerenrokken. Ze zou een jurk dragen en een mantel en een hoed.

'Vind je me knap?' vroeg ze.

'Ja.'

'Zou ik knapper zijn op m'n burgers?'

Daar moest ik over nadenken.

'Ik geloof van niet,' zei ik.

'Het zou een hele stap zijn,' zuchtte ze.

Een week daarna mocht ik met mijn moeder naar Goes met de bus, boodschappen doen op de markt. Ze kocht stopwol en sukadekoek en daarna gingen we naar de lunchroom van Wattez. Ik kreeg een glas Fosco, dat kostte toen elf cent. Zij nam thee en dat kostte toen een dubbeltje. Ineens zag ik mijn moeder staren naar een hoek van de lunchroom. Ik volgde haar blik. Daar zat Vis druk te praten met een meisje uit ons dorp. We kenden haar wel. Ze was kort tevoren op haar burgers gegaan.

Het paar zag ons niet. Mijn moeder zette haastig haar kopje neer en zei: 'Kom, we gaan.' Ze rekende af en we gingen. In de bus terug zei ze: 'Ik heb toch altijd al gezegd dat Vis niet deugt? Nou zie je weer 's.'

Thuisgekomen vertelde ze het aan m'n vader. Hij haalde zijn schouders op en zei: 'Die man is nog jong en vrijgezel. Waarom mag hij niet met een jong meisje in een lunchroom zitten?'

Ze zweeg. Ze begreep dat hier niets op was af te dingen. Maar ik voelde dat het lot van Vis bezegeld was.

Toen hij de dag daarop een boterham kwam meeëten, was ze aan tafel allervriendelijkst. Ze bood hem kaas en koud gehakt aan met een gulle glimlach. Maar toen m'n vader de kamer uit was na de maaltijd en we alleen met hem waren, zei ze: 'We hebben je gisteren gezien, Vis.'

Hij keek haar vragend aan.

'In de lunchroom in Goes. Bij Wattez. Mooie praatjes houden, dat kun je zo goed. Mooi praatjes houden tegen onze Wanne kun je ook heel goed.'

Hij bleef zwijgen.

'En daarom wou ik maar liever dat je niet meer bij ons at, Vis.'

Hij ging weg en kwam niet meer. Kort daarna deed mijn vader zelf weer alles voor zieken, stervenden en doden.

Wanne bleef op haar boers en ging niet op haar burgers.

Hond

Als mijn vader aan het ontbijt boven zijn kerkeblad rood
werd van ergernis, dan zei m'n moeder voorzichtig: 'Slang?'
'Ja. Ze zijn stapelgek,' antwoordde hij.
Er woedde in die tijd in kerkelijke kringen een hevige
strijd over de vraag of de slang in het paradijs werkelijk had
gesproken.
'Trek het je maar niet aan,' zei m'n moeder. 'Je zou toch
met het kind naar de Schelde gaan?'
Hij klaarde helemaal op. Veel contact mocht ik met m'n
vader niet hebben, daar zorgde ze wel voor, maar als het
mooi en warm was in de vakantie, dan mochten we naar de
Schelde op de fiets met de hond.
M'n vader had een ouderwetse herenfiets met een opstapje. Hij rende eerst een eind naast de fiets en sprong er dan op
via het opstapje. Ik had een klein damesfietsje en de hond
liep tussen ons in.
De Westerschelde. Een prachtige zilveren stroom tussen
Zuid-Beveland en Zeeuws Vlaanderen.
Geen strand. Een hoge groene dijk. Het was er doodstil.
Niemand op het eiland kwam op het idee daar te gaan
zwemmen.
We legden onze fietsen tegen de dijk. We legden onze
kleren ernaast. Ik had een klein rood badpakje, mijn vader
droeg een lange zwarte zwembroek tot over z'n knieën, met
een wit koordje en een split die hij voortdurend angstig dicht
hield. We moesten met blote voeten over zwarte glibberige
klei lopen om in het water te komen. Hier en daar staken
bobbelige groene eilandjes boven het water uit, glad en
groen. De schorren.
M'n vader gooide een stuk hout in het water en riep:

'Tommie! Apport!'

Tommie sprong onmiddellijk in het water en haalde het stuk hout.

'Niet op onze kleren!' schreeuwden we nog, maar dat hielp niet. Hij schudde zich uit op ons goed, dat hoorde erbij.

Tommie was een grote herdershond met een juichende staart en een altijd opgewekt humeur. Eindeloos kon je hem een steen laten terugbrengen of in dit geval een stuk hout.

Echt zwemmen konden wij niet. Het was meer pootje-baden en plonzen tussen de glibberige schorren.

Daarna gingen we onder aan de dijk zitten naast de fietsen en de natte kleren en keken uit over de Schelde. Altijd grijs, altijd nevelig hoewel de zon scheen. In de verte voer een dromerig schip voorbij.

Ik besloot het onderwerp 'slang' aan te snijden, eigenlijk om hem uit zijn tent te lokken.

'Slangen praten natuurlijk niet,' zei ik. 'Maar de rest van het verhaal over Adam en Eva in het paradijs, is dat dan werkelijk gebeurd?'

'Je weet best hoe ik daarover denk,' zei hij.

'Niet echt gebeurd dus? Zijn al die verhalen sprookjes?'

'Nee nee, geen sprookjes. Mythen zijn het.'

'Wat zijn mieten' (Want zo verstond ik het.)

Hij nam de stok uit Tommies bek en schreef in de zwarte klei met grote duidelijke letters: MYTHEN.

Nog voor we ons hadden aangekleed in ons natte goed, waren de letters weggespoeld. Eigenlijk hadden ze er moeten blijven staan voor eeuwig en voor iedereen.

'Neem jij Tommie aan de lijn,' zei m'n vader.

Tommie was een probleemhond. Hoe lief en aanhankelijk ook, hij was een moordenaar. Hij beet katten dood, hij kon een haas inhalen en hij verscheurde kip na kip zodra hij de kans kreeg. En die kans kreeg hij als ik met hem ging wandelen.

Even hield ik hem aan de lijn, maar als we een eind buiten het dorp waren tussen akkers en boomgaarden, had ik zo'n medelijden met het beest dat ik hem losliet en streng zei: 'Bij me blijven, Tommie!'

Een poos lang liep hij zoet naast me. Maar als we langs een boerderij kwamen kon ik hem niet meer tegenhouden. Hij stoof blaffend het erf op en ik hoorde gekakel en gekrijs. Ik sloot mijn ogen om niet te zien wie of wat er gekakeld en gekrijst had en nu stellig daar dood lag.

Op mijn angstige geroep kwam Tommie terug. Zonder berouw, hnel blij en kwispelstaartend. Ik wist niet of hij weer iets had vermoord, maar ik vermoedde het ergste. Haastig maakte ik hem vast en we holden naar huis.

Het kwam altijd uit. Er kwamen altijd klachten. Niemand in het dorp nam het Tommie kwalijk als hij een kat doodbeet. Hij mocht ook best op hazen jagen, die waren er zat. Maar kippen. Dat was erg. Kippen waren *have*.

Ook thuis ontsnapte hij telkens door de tuin. Hij moest aan de ketting naast z'n hok en z'n vrolijkheid smolt weg.

Nu was het mijn moeder die hem stiekem losliet omdat ze zo met 'm te doen had en zijn gejank niet langer wou aanhoren. Toen ging Tommie één kip te ver.

Het was de bekroonde sierhaan van Korstanje. Een paar dagen later, toen ik uit school kwam, was het hok leeg.

'Waar is Tommie?' vroeg ik.

Mijn moeder keek me aan met tranen in haar ogen.

'Het kon niet langer,' zei ze.

'Waar is-ie dan?'

Ze schudde haar hoofd.

'Toch niet dood?'

Ze zweeg. Ook m'n vader zweeg. Ik begreep dat ze bezweken waren onder de druk van de omgeving en Tommie hadden laten afmaken. Maar hoe, dat heb ik nooit van m'n ouders te horen gekregen. Alleen dat Tommie niet geleden had.

Ze schaamden zich waarschijnlijk.

Onderjurk

Het was juli, het regende en we zaten binnen, m'n moeder en ik. Hoewel ik allang zelf kon lezen vond ik het heerlijk als ze me een sprookje van Andersen voorlas. Thee en biscuitjes en de kleine zeemeermin. Ze las prachtig voor en we huilden allebei een beetje om het droevige lot van de zeemeermin die haar vissestaart wou ruilen voor echte mensenbenen om de prins te behagen. Ze zou er geen onsterfelijke ziel mee verwerven maar dat kon haar geen ene moer schelen. Een droevig verhaal. Het was nog niet uit toen er visite werd aangediend.

Toos, de doktersvrouw, kwam binnen en werd hartelijk begroet. Een schat, vond mijn moeder haar. Maar wel wat wuft. Ze had heel vaak iets nieuws aan en dat kwam omdat haar man, de dokter, mooie kleren meebracht uit Parijs. Elk jaar ging hij een week alleen naar Parijs. Dat was erg verdacht. 'Hij deugt dus niet,' zei m'n moeder. 'En al krijg ik de cholera, aan mijn lijf komt ie niet.'

'Wat voor onderjurken draag jij altijd?' vroeg Toos.

Ik zag m'n moeder aarzelen. Moest ze toegeven dat ze niet wist wat een onderjurk was?

'Ik heb er drie op zicht meegebracht,' zei Toos. 'Heel voordelig, jouw maat.'

Ze pakte drie onderjurken uit, een roze, een beige en een zwarte.

'Toe nou, pas ze eens aan,' zei Toos.

Aarzelend trok m'n moeder haar japon uit.

'Je draagt nog een ouwerwetse onderrok!' riep Toos geschrokken. 'Uit, dat ding! Welke van de drie vind je 't mooist?'

'De zwarte,' zei m'n moeder haastig. Ze vond zichzelf oud en ze droeg daarom altijd zwart.

'Als gegoten!' riep Toos.

De onderjurk zat krap want mijn moeder was dik.

'Ik koop 'm,' zei ze. 'Neem die andere twee maar weer mee, Toos. Zwart vind ik toch het meest decent.'

Ze bevroedde niet welk effect de onderjurk zou hebben.

Hoe decent zwart ook moge zijn bij begrafenissen, zwart op een blanke blote vrouwenhuid werkt anders. Dat weet iedere vrouw. Mijn moeder niet. Ze was blij met haar keuze. En één gulden vijfenzeventig was heel voordelig.

Mijn vader tuinierde en kwam elke dag met modderige laarzen uit de tuin aan de achterdeur met een bos andijvie of een maaltje sperziebonen. Een enkele keer kwam hij met bloemen. Dahlia's of floxen of vingerhoedskruid.

In mijn prille puberteit herkende ik de signalen.

Die bloemen waren een 'Aufforderung zum Tanz', een wervingsritueel. Soms aanvaardde mijn moeder ze minzaam. Dan was een tijdje alles goed. Maar soms zei ze: 'Ik heb liever andijvie, Johan.' Hij begreep het en haalde gelaten andijvie. Maar nu de onderjurk in de pastorie was gekomen, bleek er geen houden meer aan te zijn. Bossen gladiolen. Mijn moeder werd kregel. 'Hou nou toch 's op!' riep ze. 'Ik heb geen vazen genoeg en ik zie ook een oorwurm, bah!' M'n vader gooide boos de bloemen op de keukenvloer en ging mokkend de tuin weer in.

Op zekere dag zei m'n moeder: 'Wanne, ik kan m'n onder jurk niet vinden. Zoek jij nog eens goed in de slaapkamer.' Wanne zocht vergeefs.

'En vanmorgen lag hij nog over een stoel! Iemand moet 'm gestolen hebben.'

'Onzin,' bromde m'n vader. 'Wie steelt er nou een onder jurk.' Moeder dacht even na. 'Teeuwis!' zei ze. 'Teeuwis is in de slaapkamer geweest om dat raamkozijn bij te schaven.' 'Maar waarom zou Teeuwis een onderjurk stelen.' 'Voor z'n vrouw misschien.'

'Z'n vrouw is op d'r Zeeuws. Die hebben geen onder jurk.' Dat was een overtuigend argument en m'n moeder zweeg zuchtend. Onbegrijpelijk, onbegrijpelijk.

De volgende dag was het zondag.

De koster kwam het koffertje halen met de toga en de bef.

We gingen naar de kerk.

Mijn moeder en ik zaten vooraan, op onze vaste plaatsen.

Het orgel begon te spelen en de gemeente zong een psalm. Zoals gebruikelijk kwam onder het zingen de dominee uit de consistoriekamer en schreed plechtig naar de kansel.

Toen ineens strekte mijn moeder een zwart-gehandschoende vinger uit, stootte mij aan en siste: 'Kíjk!'

De toga had een sleepje. De dominee sleepte iets zwarts achter zich aan.

Misschien zagen enkele zingende gelovigen het. Wat het was konden ze niet zien. Ze dachten waarschijnlijk dat het zo hoorde, een soort uitbreiding van de toga.

Pas toen hij in de preekstoel stond en z'n handen vouwde voor het gebed, scheen hij iets te merken, want we zagen hem geërgerd naar beneden kijken en iets van zich af trappen. Mijn moeder bleef de rest van de kerkdienst zachtjes schudden van ingehouden lachen.

Ze lachte nog steeds toen m'n vader later dan wij thuiskwam en de verfrommelde onderjurk neersmeet. 'Mijn eigen domme schuld,' riep m'n moeder schaterend. 'Ik heb 'm natuurlijk zelf per ongeluk in het koffertje gepakt. Hoe is het mogelijk! En dat ik die arme Teeuwis heb verdacht, wat schandelijk van me.' En ze gierde opnieuw van het lachen.

Mijn vader lachte niet. Hij voelde zich vernederd en op dat moment haatte hij haar én de onderjurk.

Er werd veel andijvie gegeten en nog lang erna ging m'n moeder zelf de tuin in om wat platgeregende bloemen te plukken.

Vooruitgang

In het begin van de jaren twintig was er in Amsterdam een tentoonstelling over elektriciteit. Waar die tentoonstelling was weet ik niet meer. Niet in de RAI. Er was nog geen RAI, geen oude en geen nieuwe. Misschien een oer-RAI.

Evenmin kan ik me voorstellen waarom we erheen gingen, m'n ouders en ik. Het was zo'n verre reis van Zeeland naar Amsterdam. Het kon niet in een dag; we moesten overnachten in een hotel. Dat was heel duur.

Het was ook ongekend avontuurlijk en riskant. Mijn ouders waren zulke huismussen. Hoe kwamen ze op het idee? Waarschijnlijk was het mijn moeder die het plan doorzette. Ze was dol op de Vooruitgang. Je mocht de Vooruitgang niet missen. Elektriciteit, daar had ze over gelezen in al die weekbladen van onze portefeuille. Wij kenden in ons dorp geen elektriciteit. Nu zou ze zelf zien wat het was en ze sleepte mijn vader mee.

Het was overweldigend. Het was magnifiek. Het was één groot wonder. Dat vond mijn moeder. M'n vader knikte ietwat weifelend bij deze uitroepen. Ikzelf weet me van de hele tentoonstelling enkel maar de lift te herinneren. Een klein hokje waar we in stonden met ons drieën. Druk op een knop en daar ging het hele hok naar boven. En overal licht, heel veel licht.

'Er is een machine die stof opzuigt,' zei m'n moeder.

'Wat voor stof?' vroeg m'n vader.

'Het stof van de vloer. Je hoeft niet meer met veger en blik. En er is een waterketel die elektrisch water kookt. Denk erom, je mag nergens aankomen. Je kunt overal een schok van krijgen. Het is vreselijk gevaarlijk, nog gevaarlijker dan de bliksem. In Amerika hebben ze de doodstraf met elektriciteit uitgevonden. Blijf nou af, kind, kom nergens aan. En wat is dit? Au!'

Ze schreeuwde. 'Daar heb je 't al. Een schok. Ik kreeg een schok!'

'Nee,' zei m'n vader sussend. 'Dat was geen schok.'

'Was dat geen schok?'

'Nee, je brandde je vinger aan dat gloeiende elektrische keteltje.'

In het hotel hadden we een kamer met ons drieën. We stonden op een kluitje bij het knopje van het elektrische licht.

'Niet aankomen!' riep m'n moeder.

Maar m'n vader keek olijk en zei: 'Er zij licht.'

Toen draaide hij het knopje om.

'En er wás licht,' zei hij eerbiedig en geroerd.

We wiegden alle drie heen en weer van verrukking.

De volgende dag reisden we weer terug met de tsjoeke-tsjoeketrein. Mijn moeder hield een lezing voor haar meisjes-vereniging Tabitha. Ze vertelde over de stofzuiger. Niemand geloofde het. Ze vertelde over een wasmachine. 'Er was zelfs een elektrische muizeval!' riep ze.

Dat laatste was natuurlijk verbeelding, maar ze had nu eenmaal een levendige verbeelding.

We zaten nog met petroleumlampen. Pas een jaar of wat later kwam er elektrisch licht in ons dorp. Eerst werd het geleverd door een particulier bedrijf, een fruitkwekerij. Tot elf uur 's avonds was er licht. Dan kwam er een waarschu-wing: het licht sloeg uit en ging na een paar seconden weer aan voor vijf minuten, lang genoeg om je haakwerkje op te bergen, je boek dicht te slaan en een kaars aan te steken.

Er wordt vaak gezegd dat de twintigste eeuw pas begonnen is in 1914. Althans in Europa met de eerste wereldoorlog. Maar het kleine Zeeuwse boerendorp had de hele wereldoorlog door geslapen, zich veilig voelend in het neutrale koninkrijk.

Al slapende ploegde het toch voort, maar met de ogen stijf dicht. Voor ons begon de twintigste eeuw pas in de jaren twintig en eigenlijk door de komst van het elektrische licht.

Het was alsof de heer Philips wou laten zien hoe stoffig het dorp eruitzag nu het bestraald werd door zijn peer.

Men wilde vooruitgang. Er waren al drie auto's in het dorp en niemand kwam meer naar buiten om ze te zien voorbij rijden.

Onze vooruitstrevende dokter was een van de eersten die hun koetsje ruilden voor een Ford. Hij ruilde ook zijn toverlantaarn voor een film-afdraai-apparaat.

Op een kinderpartijtje draaide hij de eerste film die ik in mijn leven heb gezien. Een zwijgende film en heel kort. Een mug kwam lachend aanvliegen en zette zich op het kale hoofd van een heer. De heer keek boos. Je zag een hand naar de mug slaan en daarna het hoofd krabben. De mug vloog lachend weg en de film was uit.

Schitterend vonden we het allemaal.

Er kwam een bus naar Goes. De bus van Zoetewei. Binnen een kwartier was je in de stad, kon je naar de winkels en zelfs naar de kermis eens in het jaar.

Veel meisjes schaften hun boerendracht af en kochten jurken waarin ze zich niet thuis voelden. Er kwam zelfs een keer een vliegtuig overvliegen. Daarvoor liep het hele dorp wel te hoop.

Zo was de vooruitgang niet meer te stuiten.

En toch moest onze Wanne nog jaren en jaren nadien de vloeren vegen met stoffer en blik en de lakens wassen in een tobbe met een geribbeld wasbord.

Linda

Er moet – zoals men mij vaak verteld heeft – in de jaren zestig een seksuele revolutie hebben plaatsgevonden. Dat kan best waar zijn. Aan mij is die revolutie zwijgend voorbij gegaan. De echte seksuele revolutie immers barstte los in de jaren twintig.

Tot die tijd droegen de vrouwen lang haar, opgestoken in een knoet, ook wel geheten knot of dot of toet of wrong. Ze droegen lange rokken en zwarte kousen. Ze maakten zich niet op en als ze dat wel deden, werden ze wulps of hoerig genoemd. Ze rookten niet en ze reden geen auto. Ze werkten niet, althans niet in de maatschappij; in het huishouden werkten ze zich te pletter. Ze hielden zich gedeisd.

Jongetjes mochten op hun vijftiende een lange broek gaan dragen. Meisjes mochten op hun zestiende in de lange jurk. 'Wanneer mag ik ook zo'n toet in m'n nek, net als Linda?' vroeg ik. 'Als je zestien bent,' zei m'n moeder. 'Dat duurt dus nog wel een paar jaar. En Linda's toet is geen toet maar een wrong.'

Linda was een fabrikantsdochter uit Middelburg die een mateloze bewondering had opgevat voor m'n vader. Ze wilde zelfs privé-catechisatielessen bij hem nemen. Hij stond dat toe en iedere woensdagmiddag stond ze op de stoep. Een rok tot aan de enkels, een strenge blouse met ceintuur om een smal middel, een doosje bonbons voor m'n moeder en een goudblonde wrong in haar nek.

Ze zat in mijn vaders studeerkamer tegenover hem en kreeg les in Romeinen 13. Ik mocht hun thee brengen met Mariakaakjes en keek benijdend naar de wrong en de lange rok.

'Ze meent het oprecht,' zei m'n vader 's avonds als ze weg

was. 'Dat geloof ik ook,' zei m'n moeder sarcastisch. 'Ik begrijp alleen niet waarom ze helemaal uit Middelburg moet komen om catechisatieles te krijgen. Zijn er in Middelburg dan geen dominees.'

'In mij heeft ze nu eenmaal vertrouwen,' zei m'n vader bescheiden.

De lessen werden opgeschort tijdens het zomerseizoen van 1925 of misschien '26, omdat Linda een paar maanden in Engeland zat.

Maar na een schriftelijke afspraak stond ze op een zonnige september-woensdag weer bij ons op de stoep.

Mijn moeder deed open en barstte meteen in lachen uit. 'Neem me niet kwalijk Linda,' zei ze. 'Ik lach je niet uit. Het is alleen... tja, je bent zo veranderd.'

Dat was zo. Ze had wel weer een doosje bonbons bij zich maar waar was de wrong? Weg wrong. Kortgeknipte goudblonde haartjes. Een mouwloos jurkje zonder taille, heel kort, tot boven haar knieën en daaronder vleeskleurige kousen.

Dat hadden wij nog nooit gezien, behalve op plaatjes. Dit was nieuw. Linda was een voorloopster van de seksuele revolutie. Ze ging de trap op naar de studeerkamer waar mijn vader op haar zat te wachten.

Toen ik een halfuur later daar binnenkwam met de thee en de kaakjes, was hij bezig haar het Boek Job uit te leggen. Zijn stem klonk ietwat haperend en toen ik de thee voor hem neerzette keek hij beschaamd en schuldig op. Tegenover hem zat Linda, de vleeskleurige benen over elkaar geslagen. Prachtige oogverblindende benen. Ik liet hen alleen en ging naar beneden.

'Wat doen ze?' vroeg m'n moeder.

'Niks. Gewoon. Ze hebben het over Job.'

Ze schaterde.

Er werd de hele week niet over Linda gesproken, maar de woensdag daarop zei m'n vader: 'Ik voel me niet zo goed, ik weet niet wat het is... Ik heb het een beetje benauwd. Wil je tegen Linda zeggen dat ik onwel ben?'

'Dat zal ik zeggen,' zei m'n moeder en toen Linda naar binnen wilde stappen zei ze: 'Jammer, Linda. Dominee is niet goed. Hij heeft het benauwd. Hij is ziek.'

'Maar ik zag hem nu net lopen,' zei Linda. 'Buiten. Hij holde naar de kerk.'

'Daar heb je 't,' zei m'n moeder. 'Als hij het benauwd heeft holt hij altijd naar de kerk.'

Kort daarna brak de echte seksuele revolutie uit. Vrouwen en meisjes knipten hun haren af. Ze gingen korte rokken dragen, ze leerden chaufferen, ze rookten als ketters. De radio kwam, ook in ons dorp en daarmee brak een heel nieuw tijdperk aan. De hele boze buitenwereld kwam naar binnen. Jazz, charleston, operettes, socialistische redevoeringen, feministische praatjes. De boerendochters trokken hun klederdracht uit en droegen rokjes tot boven de knie met daaronder vleeskleurige kousen. En dat laatste schokte de ouderen in ons dorp het meest. Die onbeschaamde vleselijke benen.

Het was alsof de duivel in een walm van zwavel- en salpeterstank het dorp binnenstoof en met zijn bokkepoten de foxtrot danste op het kerkplantsoen.

Linda kwam niet meer. Ik dacht nog vaak aan de wrong die mij beloofd was, maar die voorgoed verdwenen was nog voor ik zestien werd.

Muzikale predikanten

Behalve ik en mijn leeftijdgenoten kan niemand zich meer een tijdperk voorstellen zonder radio en televisie. Natuurlijk was het beleefder geweest om te zeggen: behalve mijn tijdgenoten en ik, maar op mijn leeftijd wil men graag vooraan staan. Er wordt zelfs vaak gekibbeld onder bejaarden wie zich nog het meest herinnert van de jaren voor de eerste wereldoorlog. Zinnen als 'Mijn grootvader heeft Napoleon nog persoonlijk gekend' en 'De ramp van de Titanic van 1912 herinner ik me nog als de dag van gisteren', zulke zinnen zijn fraaie pluimen waar men mee pronkt.

Maar het tijdperk vóór de radio is niet zo erg lang geleden. In ons dorp kwam de radio in 1926. De televisie was toen nog een utopie. Mijn moeder zei: 'Ik heb gelezen dat we 't in de toekomst ook nog kunnen zien,' waarop m'n vader zei: 'De Heer zal ons bewaren.' Dat heeft de Heer dus niet gedaan.

Geen radio. Stilte alom. Kakelende kippen. Een hond die blaft in de verte. De wind door de blaadjes van de pereboom, dat was alles. Wat een heerlijke toestand. Het allermooiste was Thuis Muziek maken.

Ik zat aan de piano in de salon met de gele stoelen. Veertien of vijftien was ik. Nee, nog geen vijftien, wel zat ik boordevol romantische ideeën en was ik verliefd op drie knappe lange donkere jongens die in een hogere klas zaten op de HBS. Die jongens keken niet naar mij om. En terecht, er waren heel wat mooiere bloemen in hun tuin. Maar toch, een jong meisje aan de piano in een oude pastorie, dat was honing en er kwamen bijen op af. Jammer genoeg geen knappe donkere jongens. Nee, middelbare, gehuwde predikanten. Wanneer men mij vraagt: 'Hoeveel waren het er?' dan heb ik de neiging om te zeggen: 'O, minstens twaalf!' Maar dat is schromelijk overdreven. Het waren er drie. Eigenlijk waren het er maar twee: de derde was een misverstand.

Ik durf hun namen niet te noemen, uit angst dat er nog een kleinzoon woedend zal roepen: 'Je hebt mijn geëerbiedigde opa door het slijk gesleurd.'

Het was een normale zaak dat er veel predikanten bij ons over de vloer kwamen. Dominee E. speelde viool en wilde met mij een stukje Mozart-sonate instuderen. Mijn moeder vond het een schitterend plan. Ze ging naar de keuken en liet ons alleen in de salon bij de piano. De eerste keer gebeurde er niets en het was heel prettig om Mozart te spelen met een vioolsolist naast je. Het klonk natuurlijk absoluut erbarmelijk maar dat deerde niemand.

De tweede keer dat wij studeerden, bekroop mij al gauw een angstig gevoel. Hij stond te dicht bij me. Hij snoof en speelde dramatisch en hartstochtelijk als een Hongaarse Stehgeiger. Bij iedere maat rust (rust van de viool en niet mijn rust) kwam hij aan me en ik kon niets doen. Wat moest ik doen? Slaan? Gillend weglopen? Ik had te veel respect voor een oude eerwaarde baardige predikant. Ik had toch minstens kunnen zeggen: 'Wilt u alstublieft niet uw vioolstok in mijn blouse steken, dominee.' Maar ook dat eenvoudige zinnetje bracht ik niet op. Het werd dus telkens vluchten en hij kwam vioolspelend achter mij aan, speels en stoeierig rond de tafel.

Tot groot ongenoegen van mijn moeder zei ik dat ik Mozart te moeilijk vond en dat ik dominee E. niet meer wou begeleiden.

Toen kwam dominee A. Hij was een bangerd. Hij zong Schubert. Van hem had ik het voorwaar niet gedacht, maar het ging dezelfde kant op, al duurde het veel langer voor ik het merkte. Het was bij de *Winterreise*, dat hij door de mand viel.

'Fremd bin ich eingezogen, fremd zieh ich wieder aus,'

zong hij maar intussen waren zijn handen meer hinein dan heraus. En weer durfde ik niet te protesteren, nog minder te slaan. Te veel respect, voor den donder!

De derde, het misverstand dus, was niet zozeer muzikaal als wel dichterlijk aangelegd.

Als ik in de tuin bezig was, kwam hij met een opengeslagen gedichtenbloemlezing naast me staan en las mij verzen voor van Geerten Gossaert of Karel van de Woestijne.

Er was geen vuiltje aan de lucht, hij was zeer sympathiek en zeer bescheiden. Alleen was ik door de twee eerdere predikanten en hun zonderling gedrag nu veel meer op mijn hoede.

Op een dag zat ik buiten aalbessen te rissen, toen hij achter mij kwam staan en fluisterde: 'Ik heb u lief, gij zult gelukkig zijn.' Schreeuwend liet ik de mand met bessen vallen en rende naar binnen naar mijn moeder.

'Wat is er?' vroeg ze angstig. Ik kon niets zeggen en wees naar de dichterlijke man, die verwonderd aankwam met een boek in zijn handen.

Mijn moeder keek naar mij en toen naar hem. Ze verstarde. 'Maar Pieter,' zei ze bestraffend en ijskoud.

'Ik las enkel maar een gedicht voor,' zei hij bedremmeld. 'Een gedicht van Willem de Mérode.'

'Dat kan wel wezen,' zei m'n moeder, 'maar het kind is geschrokken.' Hij verdween en kwam niet meer bij ons over de vloer.

Verkoudheid

Bijna was ik de vrouw van een steenfabrikant geworden.

Bijna... maar het heeft niet zo mogen zijn.

De steenfabrikant zag iets in mij, god mag weten wat: hij was een vlotte leefman en ik, ach ik was een meisje waar de klei nog aan alle kanten aan hing. Maar hij kwam bij ons thuis, keek me dikwijls verliefd aan en nodigde me uit voor een dansavondje bij zijn familie.

'Je eerste bal!' zei mijn moeder dromerig, 'kind... je eerste bal.' Ze was zo'n moeder die vindt dat haar dochter alle kansen moet benutten die zijzelf gemist heeft.

'Het is geen bal,' zei ik kribbig. 'Het is een Party.'

'Het is een bal,' zei zij. En ze zag voor haar ogen de balzaal van keizerin Eugénie met honderden officieren vol ridderordes, ruisende walsen, kristallen luchters, fonkelende juwelen, blote boezems en de steenfabrikant die mij ten huwelijk vroeg in een nis achter de palmen... Op zijn knieën en de volgende dag zou hij mijn hand komen vragen, ook op zijn knieën, met een ruiker... dat zag zij allemaal voor zich.

Wel, de kost gaat voor de baat uit en daarom moest de huisnaaister komen en een jurk voor mij maken uit een coupon preigroene zij. De huisnaaister was een muisachtige verschijning met spelden in haar mond die ze er, naar ik me herinner, nooit uithaalde, zodat ik de indruk kreeg dat ze met een mond vol spelden geboren was. Waarschijnlijk sliep ze 's nachts ook met een mond vol spelden.

Toen de jurk klaar was zei iedereen: 'O, wat keurig.'

Maar ik sloop 's avonds laat met een brandende kaars naar de zolder waar een oude schimmelige spiegel stond. Daar trok ik mijn truitje uit en mijn rok uit en het enorme wollen hemd uit en ik trok de preigroene jurk aan. Ik hield de kaars achter mijn hoofd en dan weer opzij... ik deed een paar danspassen... glimlachte en raakte in grote opwinding. Uren stond ik daar met de kaars voor de spiegel te draaien. En ook de volgende avond en ook de daaropvolgende avond. Op de dag van het grote gebeuren was ik door al dat nachtelijke passen – op die koude zolder zonder hemd – zwaar verkouden.

'Een ui!' zei mijn moeder in paniek. 'Eet een rauwe ui! En hier kind, drop en zoute griotjes, in hemelsnaam, bedwing het.'

'Dat kind moet gewoon niet gaan,' zei mijn vader. 'Ze ziet groen. Jullie zijn gek.'

'Ja, jij ook altijd,' zei mijn moeder. 'Het geluk van het kind hangt ervan af!'

En ik ging. Ik werd gehaald door mijn steenfabrikant die mij teder bij de elleboog vatte. Onderweg in de koude avondlucht scheen het of mijn verkoudheid bedwongen was. Wij gingen naar het grote landhuis en daar zat zijn moeder met een kanten fichu en er waren een boel exclusieve gasten. Zijn moeder deinsde wat achteruit. Waarschijnlijk rook ik penetrant naar ui en drop, maar ze zei vriendelijk: 'Ik hoop dat je je zult amuseren, kind.'

'Hatsjie!' zei ik in haar gezicht. 'Hatsjie!' Het brak nu met volle kracht los door de warmte in huis. De meisjes in avondtoilet keken naar mij, boven hun glas, de mannen draaiden zich ook om, en hadden iets geamuseerds.

Ik snotterde wanhopig en werkte met het hele kleine zakdoekje, het enige dat ik mee had kunnen nemen in het avondtasje.

'Wil je je eerst een beetje opknappen,' zei mijn steenfabrikant bezorgd.

'Graag...' rochelde ik schor.

In de spiegel van het toilet zag ik mijn gezicht. Het was even bleek en preikleurig als de rest. Alleen mijn neus was een mooie rode corsage en mijn ogen waren doffe poeltjes.

Ik voelde me rillerig en radeloos.

Toen ik weer terugkwam op het parket was er muziek uit een salonmeubel, er hadden zich paren gevormd en mijn steenfabrikant stond al klaar om te dansen. Hij hield mij een goed eind van zich af, terwijl we dansten. 'Gaat het nu al iets beter?' vroeg hij.

'Da,' zei ik.

'Mooie muziek, hè?' vroeg hij.

'Da, booie buziek,' zei ik. Ik probeerde onhoorbaar mijn neus op te halen maar het maakte aldoor veel geluid. Hatsjie, ik sproeide naar alle kanten. De mensen keken naar ons en grijnsden. Mijn steenfabrikant bleef heel bezorgd en heel beleefd. Maar opeens werd ik woedend op hem.

'Daat be dos!' zei ik. 'Ik bil daar huis!'

'Ben je daar nu alweer,' zei mijn moeder. 'Was het niet... heeft hij je niet...'

'Dee,' zei ik.

'Alleen omdat je een beetje verkouden bent. Dat hij daar nou niet doorheen kan zien.'

Want moeders denken dat mannen door alles heen de pure, gouden kern kunnen ontdekken. Maar dat is nu eenmaal niet zo.

Vliegeniers

In de zomer van 1928 hadden wij een meisje in huis uit Den Haag. Ze heette Tops en was net als ik zeventien jaar. Haar ouders hoopten dat er een goede invloed zou uitgaan van het domineesgezin en dat ze wat minder wild en tomeloos zou worden.

We konden geweldig goed met elkaar overweg. Op een avond toen mijn ouders niet thuis waren, vond zij op zolder een grote zwarte struisveer van m'n moeders oude hoed. Juichend kleedde zij zich spiernaakt uit, stak de struisveer in haar achterste en danste in de salon op de jazzmuziek van Jack Paine uit Londen.

We verzamelden foto's van filmsterren. Rudolf Valentino en Ramon Novarro waren onze helden. Vliegeniers. Piloten van de KLM werden beroemd omdat ze naar Australië vlogen en naar Batavia. We verzamelden foto's van Smirnoff en Parmentier.

Er stond een berichtje in de krant dat de KLM een hele dag rondvluchten zou uitvoeren op een vliegveldje in Vlissingen. Op die dag mocht je dan een rondvluchtje maken boven Walcheren. Een kwartier in de lucht. Het kostte dertig gulden.

We besloten ervoor te gaan sparen. We hadden nog tijd genoeg voor die grote dag aanbrak. We gingen kruisbessen plukken om geld te verdienen.

'Waarom willen jullie geld verdienen?' vroeg m'n moeder. 'Je krijgt toch alles wat je nodig hebt?'

'We willen allebei een ukelele kopen,' zeiden we. We legden haar uit wat het was en lieten haar horen op de radio hoe het klonk. 'Heel leuk,' zei ze. 'Weer 's wat anders.'

In de vakantie plukten we als razenden kruisbessen. Onze

handen en armen zaten vol krabbels, want het was een stekelig werkje.

Thuis mochten ze niets weten van ons plan. Vliegen, stel je voor! We moesten dus een alibi verzinnen.

'Er is een feestje van school en we blijven bij Antoinetje slapen,' zeiden we. Antoinetje was een vrouwtje bij wie we elke dag onze boterham aten, als we tussen de middag uit school kwamen. Ze was een trouwe bondgenoot en zwoer dat ze niets zou verklappen.

We reden op de fiets naar Vlissingen. We vonden het vliegveldje en daar stonden, behalve veel mensen, twee Fokker vliegtuigen van de KLM. Er stond iets op van HNac... en nog wat. Het was uiterst opwindend.

Hoe het kwam dat we onmiddellijk bevriend raakten met de piloten, dat weet ik niet meer. Ze heetten allebei Jan en ze waren van top tot teen in het leer. Leren helmen, jassen, handschoenen, het kon niet spannender.

Waarschijnlijk waren ze geroerd door onze bloedige krabbels en we mochten elk naast een Jan zitten in de cockpit. Naast een echte vliegenier zitten was een nog grotere sensatie dan het vliegen zelf. Hoe eenvoudig was zo'n vliegtuig toen. Enkel maar een man aan het stuur, net als bij een auto.

We mochten de volgende vlucht weer mee. En de keer daarop weer. En nog eens en nog eens, de hele verdere dag.

Na afloop namen de twee Jannen ons mee naar een restaurant waar we aten en dansten en heel dronken werden. Tops vree met haar Jan. Ik vree met mijn Jan. Slapen deden we helemaal niet.

In het beginnend daglicht fietsten we katterig maar hoogst voldaan terug naar Goes, naar onze Antoinetje die alles begreep en alles prachtig vond, ook dat we haar adres hadden opgegeven aan de twee Jannen, die beloofd hadden ons heel gauw te schrijven.

Ze gaf ons ontbijt en we fietsten naar huis waar we weer moesten liegen en bedriegen over het leuke schoolfeestje.

Maar nog dezelfde dag kwam het uit. We waren gesignaleerd in het café in Vlissingen. Twee bandeloze sloeries midden in de nacht op de dansvloer met zulk tuig als vliegeniers. De toorn van mijn moeder was vreselijk.

'Ik zeg niks aan je vader,' verklaarde ze. 'Maar dat mijn dochter zich ooit tot zo iets zou verlagen... waar heb ik dit aan verdiend? Ik zal de ouders van Tops vragen haar zo gauw mogelijk terug te halen.'

Dat was een bittere straf voor ons allebei. We huilden. 'Dat is de droesem na de wijn!' riep mijn moeder.

Er kwam geen brief van mijn Jan. Tops kreeg ook geen brief van haar Jan. Onbegrijpelijk. We dachten toch allebei dat het voor eeuwig zou zijn. Dat we verloofd waren. We waren toch zo vreselijk verliefd allebei op onze Jannen. En zij toch ook op ons? Dat hadden ze toch bewezen, door ons voortdurend mee de lucht in te nemen?

Tops verdween naar Den Haag. En na lang wachten kreeg ik een brief, niet van mijn Jan maar van de hare. Van de andere Jan dus. Hij wou me graag nog een keer ontmoeten.

Het merkwaardigste is dat ik daar geen enkele moeite mee had. Niet het gevoel had mijn vriendin te verraden door haar vriend af te pakken. Ook niet het gevoel had de verkeerde Jan lief te hebben. Welnee, ze waren volstrekt verwisselbaar. Allebei piloten, allebei in het leer.

We ontmoetten elkaar op een slinkse manier. En nog een keer en nog een keer.

Soms vloog hij met zijn toestel heel laag vlak boven de hbs, waar ik met kloppend hart in zat. Ik durfde niet aan mijn medeleerlingen te vertellen dat het voor mij was. Ze zouden het niet geloofd hebben.

Toen hoorde ik maandenlang niets van hem. Mijn eerste ongelukkige liefde. Op je zeventiende is een ongelukkige liefde ondraaglijk treurig.

Ik besloot hem te gaan opzoeken. Ik wist zijn adres in Aalsmeer.

Toen ik daar aanbelde, deed een mevrouw open. Haar man was niet thuis, zei ze. Kon ze de boodschap misschien overbrengen?

O nee, dank u.

Hannover

Het kwam allemaal door meneer Callenfels die enkele malen per week bij mijn moeder kwam koffiedrinken nadat hij haar een levensverzekering had aangesmeerd.

'Hij is niet zo maar een verzekeringsagent,' zei m'n moeder. 'O nee, hij is van zeer goede familie en zo aardig. Hij weet zoveel en is zo bereisd. Hij kent iedereen. Wat zijn wij toch provincialen bij hem vergeleken.'

Ze zaten in de serre met hun koffie. Waar was mijn vader dan? Natuurlijk op zijn studeerkamer. Ik was er zelden bij, want ik woonde in Den Haag op kamers. Maar ik wist dat mijn moeder tegen meneer Callenfels klaagde over mij, haar negentienjarige dochter.

Het gesprek moet ongeveer zo gegaan zijn.

'Stel je voor, Callenfels,' (zij zei jij en jou en sprak hem aan met Callenfels, hij bleef altijd mevrouw zeggen) 'stel je voor, ze leert in Den Haag voor kandidaat-notaris, maar ze wil ermee ophouden. Ze denkt alleen maar aan mooie kleren en feestjes en ze verzuimt haar lessen. Wat moet ik nou toch? Geef 's raad.'

'Waarom laat je haar niet een jaar naar het buitenland gaan,' zei meneer Callenfels.

'Naar het buitenland? Om wat te doen?'

'Au pair bij een familie,' zei hij. 'Parijs bij voorbeeld.'

'Parijs!' riep mijn moeder verschrikt uit. 'Hoe haal je 't in je hoofd! Dan kan ik haar net zo goed meteen in een bordeel doen. En wat betekent au pair?'

'In de huishouding werken zonder salaris, enkel kost en inwoning. Ik ken een familie in Duitsland,' zei meneer Callenfels. 'Ze wonen in een villa in Hannover. Ik wil wel eens contact met hen opnemen. Ze zijn van adel.'

'En moet ze daar dan dienstbode worden zonder loon?'

'Nee, licht huishoudelijk werk. En ze zal er heel veel leren. Duitse huisvrouwen zijn zo tüchtig, weet je wel? Ze zal er leren braden en bakken en jurken naaien.'

Mijn moeder was er nog niet van ondersteboven. Ze vond braden en bakken en kleren naaien niet zo belangrijk.

'Het zijn drie oudere dames,' zei meneer Callenfels. 'Ze heten Von Levetzow en ze stammen af van de laatste geliefde van Goethe, namelijk Ulrike von Levetzow.'

Nu had hij de juiste snaar aangeraakt. Een literaire familie dus. En ook nog van adel, daar kon niks mis mee zijn.

Ik herinner mij niet of iemand mij gevraagd heeft naar mijn mening. Waarschijnlijk was ik zo blij dat ik geen kandidaat-notaris hoefde te worden en zo blij om eens naar het buitenland – welk dan ook – te mogen, dat ik gretig inging op het plan.

Een maand later bracht meneer Callenfels mij in zijn auto naar Hannover. Mijn moeder ging mee om kennis te maken en om te zien of het werkelijk allemaal zo keurig was.

Naar de politieke achtergrond van de familie werd niet gevraagd, noch door mijn ouders, noch door mijzelf. Er heerste bij ons een politiek onbenul dat aan het ongelofelijke grensde. Het was 1930, Mussolini schreeuwde in Italië, Hitler, hoewel nog niet aan de macht, schreeuwde in Duitsland.

Stapels antifascistische lectuur kwamen bij ons thuis over de vloer. En nog stuurden mijn ouders hun dochter naar Duitsland. Nou ja, die dochter van negentien was toch ook een oen.

Een weelderige ouderwetse villa in een buitenwijk van Hannover. Drie dames ontvingen ons. Drie tantes, tante Julia, tante Callie en tante Emmie. Ze waren allerliefst. Er werd gebabbeld en gelachen, ze noemden mij Ännchen, mijn moeder bewonderde het antieke porselein en vertrok, gerustgesteld, met meneer Callenfels naar Nederland.

Bij de tantes hoorden drie neven. De oudste, Ernst, was leraar aan een gymnasium en heel knap naar men zei, maar volgens mij ernstig gestoord. In zijn werkkamer hing een lijklucht. Dat kwam omdat hij plakken ham en rosbief als boekenleggers gebruikte.

De middelste neef zat in een rolstoel, was depressief en zei nooit een woord. Hij werd door de tantes volgepropt met eten en verder veronachtzaamd.

Alle drie de neven waren zoons van generaal von Levetzow wiens portret in de eetkamer hing.

'Is hij gesneuveld in de oorlog?' vroeg ik. 'Jasicher,' zei tante Emmie, maar tante Julia zei bits: 'Nein, er hat sich totgefressen.'

Door alle kamers van de eerste verdieping reed het elektrische speelgoedtreintje van neef Ernst. Er waren gaatjes in de tussenmuren waardoor het treintje kon rijden. 'Daaraan is onze papegaai overleden,' zei tante Julia. 'De trein reed zo hard. De papegaai zat erop en het arme beest kon er niet op tijd af springen.'

De derde neef was pas vijftien. Hij heette Otto Ferdinand en was bij de Hitlerjugend. Zijn kamer was vol foto's van duikboten en vlaggen met hakenkruisen. Het zei mij allemaal niets.

Na een paar dagen wist ik wat het betekende au pair te zijn. Ik moest om zes uur op, voor de hele familie ontbijt maken en daarna kamers doen en zorgen voor de middagmaaltijd. En vooral taarten en koekjes bakken. Deeg roeren, eindeloos deeg roeren.

Net zolang roeren 'bis der Teig Blasen wirft', zo werd mij gezegd. Het deeg moest blaasjes vertonen.

's Avonds zat ik met de tantes in een van de antiek gemeubileerde salons met een fles wijn, de eigengebakken koekjes waarvan het deeg blazen had geworpen en de grammofoon. Schuberts *Winterreise* was hun favoriet.

Op een van die avonden werd de muziek wreed verstoord door een geweldig lawaai op straat. Een optocht. Bruine uniformen met hakenkruisarmbanden. Hakenkruisvlaggen.

'Sieh mal! Das ist unser Otto Ferdinand!' riep tante Emmie verschrikt.

Inderdaad, Otto Ferdinand liep mee en zong mee met de marsmuziek.

Abscheulich vonden de tantes het. Afschuwelijk. Niet omdat het voor hen iets onheilspellends had. Ze vonden het plat en ordinair. Beneden hun stand.

Ikzelf had niet het minst gevoelens van naderend onheil of van een gruwelijk gevaar. Ik keek nieuwsgierig toe en vond het maar een mal gedoe.

'Och,' zei tante Julia. 'Laat die jongen toch. Het gaat wel over. Die bespottelijke beweging duurt niet lang. En die rare Hitler krijgt geen voet aan de grond. Neem nog een koekje en laten we doorgaan met de *Winterreise.*'

Dat deden we. Het treintje reed zachtjes ruisend door de kamer en verdween weer. Neef Ernst kwam even binnen.

Wou hij wijn? Nee, hij wou enkel maar zeggen dat hij erg trots was op z'n broertje Otto Ferdinand. Dat die jongen het ver zou schoppen in het nieuwe Duitsland. Gutenacht.

Hard en noest werken in de huishouding, au pair, een jaar lang in een Duitse villa bij drie adellijke tantes en drie gestoorde neven. Hoe heb ik dat uitgehouden?

Winter 1930. Er was een werkster om de buitenboel te schrobben maar verder moest Ännchen alles doen, ook kachels uithalen. En wat heb ik eigenlijk geleerd? Nog steeds kan ik niet behoorlijk een kamer doen. Koken? Ik leerde Suppe mit Klössen maken. Inderdaad klotensoep met dikke meelballen. Eisbein mit Sauerkraut. Toen ik die gerechten later thuis klaarmaakte, riep m'n moeder: 'Herreget! Heb ik je daarvoor naar het buitenland gestuurd?'

Ik heb het niet alleen uitgehouden maar ook leuk gevonden, hoe is dat mogelijk?

In je ouderdom herken je jezelf niet meer als negentienjarige. Een ander wezen in een ander leven.

's Morgens vroeg stond er een rijtje bedelaars op de stoep voor het souterrain. Ik moest Schwarzbrot mit Leberwurst voor hen klaarmaken en dat door het raam aanreiken. Dikke sneden zuur brood met goedkope leverworst. Ik vond het heerlijk.

De arme mensen pakten het gretig aan en bogen dankbaar voor me op de stoep. Ik vond dat prachtig. Wel vroeg ik aan tante Julia: 'Waarom zijn er hier zoveel bedelaars?'

'Nog altijd de oorlog!' zuchtte ze. Der Krieg!

Maar neefje Otto Ferdinand die lid was van de Hitler-jugend, zei: 'Die Juden sind daran Schuld.'

Hij was zestien, nog in korte broek. Een schat van een jongen met donker krullend haar en stralende ogen. Ik had verliefd op hem kunnen worden maar ik vond hem te jong.

Die Juden sind daran Schuld.

'Welke joden?' vroeg ik.

'Alle!'

'Ken je een jood?' vroeg ik.

Daar moest hij even over nadenken.

'We hadden er eentje op school,' zei hij. 'Maar die is er gelukkig af getrapt.'

Tijdens dit gesprek vroeg ik mijzelf af: ken ik een jood?

Ik wist geen antwoord op die vraag. Ik had vele vriendjes en vriendinnetjes in Den Haag, maar nooit was de vraag opgekomen: joods of niet-joods.

Dat was dus wel een duidelijk verschil tussen Duitsland en Nederland in 1930. Ik kende geen jood omdat ik niet wist wat het was. Hij kende er geen omdat ze er toen in Duitsland al werden uit getrapt.

Zijn kamer moest ik ook doen. Neuriënd stofte ik de hakenkruisemblemen en runetekens af en dacht: Wat een mallotige sekte toch, waarom doet die lieve jongen dit toch? Ach, het zal wel overgaan. Jammer dat hij te jong is om mee te vrijen.

Er kwam iemand over de vloer die niet te jong was om

mee te vrijen. Herr Zellnick. Hij was archivaris en moest de stamboom van de tantes uitzoeken. De Von Levetzows. Een stamboom vol graven en baronnen. Een schat van een jongeman, Herr Zellnick, maar voor het tot de eerste kus kwam was hij weg en verscheen niet meer. Pas later begreep ik dat neef Ernst hem niet in huis wilde hebben. Hij was een jood.

Toch bleef ik het leuk vinden. Ik schreef zonnige brieven naar huis en kreeg bezorgde brieven van mijn moeder: 'Laat je vooral toch niet uitbuiten door die lieve tantes, kind!' De drie tantes waren inderdaad lief en omringden mij met tedere zorg terwijl ik de keuken dweilde.

's Avonds was er Glühwein. De grammofoon speelde Schumann en Schubert, de gestoorde neven bleven op hun eigen gestoorde kamers; samen met de drie tantes dook ik weg in de vorige eeuw in de romantische periode.

Uitstapjes maakten we. Een dag naar Hildesheim, dat romantische stadje. En eindelijk had ik m'n jurk klaar. Zelf een jurk gemaakt. Een roze jurk met roze bloempjes en een roze fluwelen ceintuur.

'Ach, wie hübsch!' riepen de tantes. En zelfs de neven riepen: 'Wie hübsch sehen Sie aus, Ännchen.'

Dat deed me de das om. Dit was het breekpunt. Ik had het gevoel te verzuipen in de romantiek. Het was alsof ik slagroom zat te eten in een rozenprieel, terwijl er vlak naast me een kind werd mishandeld. Bergen slagroom met een huilend kind ernaast.

Iedere zondag kwam de Pfarrer zum Mittagessen. De dominee at mijn klotensoep en knikte goedkeurend.

Toen wees hij op de gedichtenbundel waaruit tante Julia vaak voorlas en zei: 'Aber Julia! Heine! Der Heine das war doch ein Jude!'

Alweer! De slagroom kwam mij meer en meer de strot uit. Op mijn twintigste verjaardag droeg ik de nieuwe roze jurk. Zelf kookte ik het feestelijke middagmaal.

Vlak voordat we aan tafel zouden gaan, ontstond er lawaai

op de stoep. Een paar bruinhemden kwamen joelend binnen, kameraden van Otto Ferdinand.

Tegelijkertijd stopte er een taxi voor de deur.

Uit de taxi wrong zich mijn moeder. Een totale verrassing. Ze bekeek de bruinhemden met argwaan en werd toen door de tantes teder omhelsd. 'Ännchen's Mutti!'

Mijn moeder liet zich alle complimenten en liefkozingen welgevallen, maar ik zag aan haar gezicht dat er een donderwolk hing. Tijdens de maaltijd, waarbij gelukkig de neven wegbleven, siste ze tegen me: 'We moeten hier weg. Het bevalt me niet.' Ik was bang dat ze iets heel onaangenaams zou gaan zeggen, dus ik babbelde enthousiast met de tantes mee over hoe *herrlich* alles was en hoe *hübsch*.

Mijn moeder beheerste de kunst om met een allerliefste glimlach de hatelijkste dingen te zeggen.

En 's middags bij de Kaffee mit Kuchen zei ze poeslief: 'Ich habe die Idee, dass meine Tochter hier ein bischen wird ausgebaut.'

Haar Duits was niet perfect. Ze wilde zeggen: uitgebuit. De tantes waren verrukt. Ausgebaut, jawohl. Gegroeid, rijper geworden, verrijkt. Jawohl.

Ik was blij met het misverstand. We zijn dan ook niet met ruzie uit Hannover vertrokken. Mijn roze jurk liet ik per ongeluk achter.

Korte tijd was er nog een vrij koele briefwisseling tussen mij en de tantes. Daarna hield de relatie op. Ik had nog wel eens willen weten wat er geworden is van Otto Ferdinand, die schat...

Een aardige man

'Je moet toch eens raad geven, Callenfels,' zei m'n moeder. 'M'n dochter is weer thuis, terug uit Hannover, zoals je weet.'

'En ze heeft er ongetwijfeld veel geleerd,' zei meneer Callenfels.

'Geleerd? Ja, een taart bakken waar je je kiezen op breekt! Soep met meelballen. IJsbeen met zuurkruid. We mogen nog blij zijn dat ze niet is aangestoken door die nazi-ideeën van die Hitlerjugend daar.'

'Het zijn helemaal geen gekke ideeën,' zei meneer Callenfels. 'Ik heb groot respect voor Hitler. Hij zal Duitsland er weer bovenop helpen.'

'Schei toch uit, malle man,' lachte m'n moeder. 'Ik wil daar niets meer over horen. Ik wou je raad vragen. Ze is nu twintig en weer thuis en ze doet helemaal niks. Lang in bed liggen, romannetjes lezen, beetje piano spelen, dat is alles.'

'Ach, ze zal wel trouwen,' zei meneer Callenfels.

'Trouwen of niet trouwen, ze moet een vak leren. Ze moet haar brood kunnen verdienen. We wilden haar kandidaat-notaris laten worden, maar dat werd niks. Na een paar maanden is ze gestopt. Wat moeten we toch met haar?'

'Misschien moet ze schrijfster worden,' opperde meneer Callenfels voorzichtig. 'De brieven die u me voorlas, uit Hannover, zijn heel aardig.'

'Onzin! Schrijfster is geen vak. Met schrijven kun je je brood niet verdienen.'

'Misschien is bibliothecaresse iets voor haar. In Middelburg is een Openbare Leeszaal en Bibliotheek. Daar kan ze worden opgeleid tot leeszaal-assistente. Ik ken de directrice, zal ik eens met haar praten?'

'Wat ben je toch een bijzondere man, Callenfels. Je kent

iedereen en je weet zoveel!'

Bovenstaand gesprek werd gehouden in de serre onder de koffie. Ik was er niet bij maar ik weet dat het bijna letterlijk zo werd gevoerd.

'Wat denk jij van het idee?' vroeg m'n moeder. 'Zeg ook eens wat. Lijkt je dat niet een leuk vak, bibliothecaresse? Je zit immers altijd met je neus in de boeken. Wel, dan heb je boeken genoeg om je heen.'

'Het lijkt me erg vervelend,' zei ik.

'Maar je moet toch íéts? Je kunt toch niet aldoor thuis blijven hangen en piano spelen en vieze Duitse taarten bakken? Wat wil je dan?'

Ik wist het niet. Ik wilde helemaal niks. Ik wachtte op een brief van Charles, mijn nieuwste ongelukkige liefde in Den Haag. Die brief kwam niet. Verder had ik geen ideeën of wensen of plannen. Mijn gedachten waren een soort oersoep.

'Het lijkt me helemaal niks, die bibliotheek,' zei ik nog eens.

'Maar je moet toch toegeven dat Callenfels een heel verstandige man is. En bijzonder aardig en altijd zo hulpvaardig.'

Ja, dat vond ik ook.

'Hij is mij een beetje te pro-Duits,' zei m'n moeder. 'Hij dweept met Hitler, maar daar hoeven we verder niet naar te luisteren.'

Een maand later begon ik aan de cursus, reisde op en neer naar Middelburg, werkte in de bibliotheek en merkte tot mijn verbazing dat ik het heerlijk vond. Er kwam een patroon in de oersoep.

'Dat heb je aan Callenfels te danken,' zei m'n moeder tevreden.

Ik haalde m'n diploma, kreeg een baan, woonde op kamers en kwam af en toe een weekend thuis.

'Hoe is het met meneer Callenfels?' vroeg ik.

'Hij komt niet meer.'

'Hij komt niet meer? Waarom niet.'

'Ik heb 'm weggestuurd. Hij is NSB'er geworden. Jammer, hè?'

'Heel jammer. Zo'n aardige man.'

Vele jaren later, het was 1943, midden in de oorlog, was ik directrice van de Openbare Bibliotheek in Vlissingen. Ik hoorde praten over de nieuwe burgemeester. Het werd mij kil om het hart toen ik hoorde wie het was. Het was mijn meneer Callenfels. Hij werd door iedereen Piet Surrogaat genoemd.

Gelukkig heb ik niets met hem te maken, dacht ik. Ik hoef hem nooit te zien. Maar dat was een misrekening. De directrice van de bibliotheek kreeg een brief van de burgemeester en werd gesommeerd op het stadhuis te komen.

Hij zat achter z'n bureau in een deftige gebeeldhouwd-eiken kamer. Ik zat tegenover hem. Hij was niets veranderd. Dezelfde aardige ogen en vriendelijke glimlach.

'Juffrouw Schmidt,' zei hij. 'Ik moet u helaas mededelen dat er klachten zijn binnengekomen over de Openbare Biblio-theek.'

Ik zweeg en nam mij voor dat te blijven doen.

'U hebt geen bordje "Verboden voor Joden" op de deur. U hebt vele verboden Engelse boeken in de kasten. Het blad *Volk en Vaderland* is in uw leeszaal afwezig, alsmede *De Mist-hoorn*. Duitse militairen worden door u en uw assistentes weggesnauwd. Heb ik moeten vernemen.'

Ik zei nog altijd niets terug. Het was zo'n eigenaardige situatie. We kenden elkaar zo goed van uit mijn moeders serre onder de koffie. Door hem was ik in de bibliotheek gekomen. Hij was een aardige man.

Opeens ging hij over op jij en jou.

'Ik wil je een voorstel doen,' zei hij. 'Ik weet dat je broer Wim in de gevangenis zit in Scheveningen. Als jij en je bibliotheek wat vriendelijker zouden zijn voor ons, meer open zouden staan voor onze ideeën en propaganda... dan zou ik wellicht iets voor je broer kunnen doen.'

Dit had ik totaal niet verwacht. Inderdaad zat mijn broer in de gevangenis. Hoe wist hij dat? En dit voorstel!

Ik keek hem aan. Waarschijnlijk was het een blik van verbijstering en tegelijk van verontwaardiging.

Hij kreeg een kleur, schraapte z'n keel en zei: 'Nou goed, dus niet, meisje. Wat jammer toch, ik kon het toch zo goed met je moeder en jou vinden. In elk geval zal er iets in die bibliotheek moeten veranderen.'

Hij stond op en stak z'n hand uit. Ik pakte de hand aan. 'Tot ziens dan,' zei hij.

Ik zei niets. Terugfietsend naar de bibliotheek dacht ik: Ik leg toch lekker geen *Volk en Vaderland* neer. En m'n broer komt toch wel uit de gevangenis. Dat was ook zo.

Bidden

Vele jaren geleden schreef ik een versje voor *Het Parool*, getiteld 'Literatuur', dat aldus begon:

Toen ik verloofd was met René
die zoveel hield van Hemingway
las ik het werk van Hemingway
omdat het werk me zoveel dee
maar toen het uit was tussen ons
toen kreeg ook Hemingway de bons.

Het gedichtje was niet autobiografisch. Op het punt van literatuur heb ik me nooit laten beïnvloeden door minnaars, maar wel is het me overkomen op het punt van geloof.

Toen ik zes jaar was, keerde ik het christendom de rug toe en was alleen met geweld de kerk in te trappen. Mijn ouders leden daar niet onder. Ze berustten erin. Sterker nog, ze begrepen het. Per slot waren ze zelf beroepshalve vroom.

We leefden dus lang en gelukkig en ongelovig, tot ik op mijn vierentwintigste Henk ontmoette.

Ik werd verliefd op hem en hij op mij. Zo'n wederzijdse liefde had ik voordien nooit meegemaakt; altijd wou de ander wel en ik niet, of ik wel en de ander niet. Nu klopte het en niets stond ons geluk in de weg.

Hij speelde prachtig piano, kon boeiend vertellen en had een auto, een Citroën 1935. De enige moeilijke kwestie was zijn geloof. Hij was zeer christelijk en probeerde mij te bekeren. Aanvankelijk lukte dat helemaal niet, maar omdat hij zo boeiend en overtuigend sprak en omdat ik zoveel van hem hield, trok hij me over de streep. Jawel hoor, ik geloofde.

Natuurlijk moest hij met mijn ouders kennis maken en ik

bracht hem mee om bij ons een boterham te eten.

Het was een schok voor m'n ouders toen ze zagen dat hij zijn handen vouwde en bad voor de maaltijd en dat ik ook mijn ogen sloot en m'n handen vouwde.

Mijn moeder had iets van een kip die een eendeëi heeft uitgebroed en angstig toeziet hoe haar kuiken in het water springt.

Mijn vader bad uit beleefdheid mee. Mijn moeder niet. Ze zei ferm: 'Het spijt me, Henk, wij doen dit al geruime tijd niet meer.'

Toen Henk was vertrokken en ik met haar alleen zat, vroeg ik wat ze van hem vond.

'Een keurige jongen,' zei ze. 'En ik vind het best dat hij bidt voor z'n eten, maar jij! Wat huichelachtig van je. Je bent helemaal niet gelovig.'

'Dat ben ik wel.'

'Dat ben je niet.'

'Wel waar.'

'Maak dat je mallemoer wijs!'

'Ik ben het geworden. Eerlijk waar.'

'Maar wat vind je er dan van als hij zo zalverig praat over "de Heer"?'

'Hij praat niet zalverig en in een domineesgezin is het toch niet erg om het over "de Heer" te hebben?'

'In ons gezin wel,' zei m'n moeder. 'Wij spreken hoogstens over God, maar niet over "de Heer".'

Koppig bleef ik volhouden dat ik het prachtig vond en dat ik oprecht bekeerd was.

Er kwam een verloving. Een echte verloving zoals in die tijd gebruikelijk was, met ringen en kaartjes. Met een advertentie in de krant en met cadeautjes zoals bowlglazen en een kaasschaaf. Vaak logeerden Henk en ik bij zijn ouders, die nog veel geloviger waren dan hij en er streng op toezagen dat we in aparte kamers sliepen.

Het was niet voldoende dat ik bad voor de maaltijd, nee,

ik moest worden aangenomen als lid van de Nederlands Hervormde Kerk, vond Henk.

'Maar waar dan?'

'Bij je vader natuurlijk.'

Ik aarzelde, maar omdat ik zoveel van hem hield, besloot ik het maar te doen. Ik sprak met mijn vader, zoals in het middeleeuwse lied 'Heer Halewijn':

Zij ging al voor haar vader staan
Ach vader mag ik naar Halewijn gaan?
Ach nee, ghi dochter, neen ghi niet
die derwaart gaan en keren niet.

Mijn vader was niet verbaasd toen ik hem vroeg mij te willen bevestigen als lid van de gemeente. Hij had het zien aankomen, maar hij keek me aan met zoveel ironie dat ik koud werd van schaamte.

'Ik hoop dat je nog wel iets weet van de Schrift,' zei hij. 'Ik hoop dat je nog weet wie Jezus Christus ook alweer was.'

Op een zondag in onze dorpskerk vond de plechtige gebeurtenis plaats. Samen met andere aannemelingen werd ik aangenomen. Bevestigd, zoals dat heette. Mijn vader bleef ironisch kijken, mijn moeder argwanend en Henk blij en tevreden. Dit was de echte geloofsbelijdenis, daar was geen speld meer tussen te krijgen.

Toen we het weekend daarop bij zijn ouders logeerden in aparte kamers, tikte Henk midden in de nacht op mijn kamerdeur. Dat was nog niet eerder voorgekomen. Ook al waren we verloofd met bowlglazen en een kaasschaaf, samen slapen mocht niet. Maar nu was ik aangenomen, bevestigd, dus het mocht van Henk. 'We zullen eerst de Heer om vergeving smeken,' zei hij en knielde neer op het kleedje voor het bed en probeerde mij naast zich te laten knielen.

Dat was voor mij het breekpunt. Bidden voor het eten, dat kon ik aan. Bidden voor het vrijen stond mij zo deerlijk tegen dat ik hem sloeg en een bitse scène maakte.

Zijn moeder kwam op het geluid af en joeg hem naar zijn eigen kamer. Ze dacht dat ik hem uit kuisheid had geweerd en prees mij daarom uitbundig.

Maar die nacht smolten mijn liefde en mijn geloof beide als sneeuw voor de zon.

'Het is uit,' zei ik tegen mijn moeder.

'Goddank,' zei ze.

Voetstappen op de trap

Die laatste winter was Walcheren onder water en kapotge-schoten, maar wel bevrijd, heel erg bevrijd. Iedereen was het erover eens dat je beter eerlijk en regelrecht oorlogsgeweld kon hebben met alle angststuipen die eraan vastzaten dan de honger en de vervolging waaraan ze daar in het noorden blootstonden.

Het was alleen heel erg moeilijk om ergens een droog plaatsje te vinden. Ik woonde in Vlissingen en nadat ik twee maanden lang door het water had gewaad naar en van mijn huis, werd het me te gortig. Het was weliswaar aardig om te zien hoe een man met bolhoed en colbert van boven, en enkel een zwembroek van onder, door de straat plonsde, het was enig om het silhouet te zien van een rij dokters, die ieder een nonnetje op hun rug droegen naar het ziekenhuis, maar om zelf in januari door de zee te soppen de hele dag, daar was geen aardigheid meer aan. Ik ging wonen in de leeszaal waar ik werkte en waar de hele dag Engelse soldaten kwa-men zitten lezen. Het was een enorm, oud, hol, leeg gebouw met ontelbare zolders en kelders. De bibliotheek en de lees-zaal waren boven. Ik zette mijn bed naast het kacheltje en was gelukkig en droog.

Ramen waren er niet in het gebouw; met karton was alles afgesloten, ook het grote gat waardoor de granaat was ge-gaan. De soldaten brachten iedere dag cokes mee. Ze zaten te lezen in hun eigen meegebrachte tijdschriften. Om tien uur 's avonds moesten ze weg; dan werd de leeszaal gesloten, want orde moet er per slot zijn, ook in het puin. Dan sloot ik beneden de grote voordeur achter hen dicht, mijn stappen klonken luid op de stenen vloer van de gang; ik ging de trap op, de leeszaal in, ook die deur werd gesloten.

Zo ging het iedere avond, totdat er op een keer iets gebeurde. Goodnight, hadden ze gezegd, alle vijf die Engelsen. Ik liet hen uit en ging naar boven. Daar zat ik te lezen bij een wapperende kaars. Behalve het gekraak van de kartonnen schermen, waar de wind tegen stompte, was er geen geluid. Ik had een nieuw Engels boek, dat was verrukkelijk: een venster waardoor je eindelijk de wereld kunt zien. En toen kwam het. Voetstappen op de trap, heel zachtjes op de houten trap.

Onmiddellijk realiseerde ik me: Dit kan niet, de buitendeur is op slot, hoe... iemand heeft zich moeten laten insluiten. In zo'n ogenblik bedenk je alles tegelijk. Een van de Engelsen? Nee, die waren te behoorlijk en te lauw om iets uitzonderlijks te doen. Het moest een mof zijn.

Het is geen sprookje, dat haren overeind gaan staan wanneer men angstig is. Mijn haren stonden recht overeind en binnen in me zat een stuk ijs, dat groter werd en groter werd. De stappen kwamen zachtjes hoger op de houten trap en bleven staan voor de deur van de leeszaal, dus vlakbij. Ik had het gevoel dat ik de man hoorde ademen bij het sleutelgat. De deurkruk bewoog geruisloos heen en weer.

'Wer ist da?' riep ik, zo overtuigd was ik dat het een Duitser was.

Van mijn eigen stem, die hard in de stilte viel, schrok ik pas echt. Mijn hart klopte zo, dat het haast in mijn keel sprong. Er kwam geen antwoord. En na heel lange tijd, wel een minuut, gingen de voetstappen weer zacht de trap af. Ik luisterde scherp. Zou hij de voordeur uit gaan? Dat kón, want de sleutel zat er aan de binnenkant op. Nee, er werd zelfs niet gemorreld aan de voordeur, hij was binnen gebleven, hij moest nog zitten ergens. En die donkerte was het ergste.

Met opgetrokken knieën zat ik naast het kacheltje bij de lugubere kaars en dacht: Als ik hier de hele nacht moet zitten wachten tot die vent het nog eens probeert, word ik tiereliere. De onbekende man daar beneden in de gang nam in mijn verbeelding monsterachtige trekken aan, het werd een monster van Frankenstein.

Twee uur lang bleef ik zitten kijken naar die deurkruk. Ik word gek, dacht ik, ik moet mijn knijpkat nemen en naar buiten gaan. Gewoon roepen boven aan de trap. Poes, poes, poes, of zo iets.

En omdat alles beter was dan wachten nam ik de knijpkat en draaide het slot om van mijn deur. Daar stond ik boven aan de trap, de kou en de duisternis woeien me tegemoet. Wiejwiejwiej, deed de knijpkat en het licht viel op een lege trap. 'Is daar iemand!' riep ik. 'Hallo!!!' Geen antwoord; ik hoorde mijn stem lang naklinken; toen de echo was weggestorven, was de stilte afgrijselijk, griezelig en klam. Hoorde ik daar schuifelen op de stenen van de gang? Ik schoot de deur weer in, draaide de sleutel om, schoof er een lage boekenkast voor en ging op de stoel zitten trillen.

Om halfdrie in de nacht kwam hij terug. Voetstappen. Toen ze vlak bij de deur waren, werd het stil. Ik gaf geen geluid meer, mijn huid prikte overal. Ditmaal probeerde hij de deurknop niet; heel zacht ging hij naar beneden. Dat een nacht zo krankzinnig lang kan duren, dat de duisternis maar niet ophoudt, dat de wind maar zo onverschillig blijft ritselen tussen het karton...

Het werd zeven uur, na een eeuw. Het werd licht, vrij plotseling; nog steeds zat ik zo, ik kon nu de kaars uitblazen, het was de derde kaars en ik zag mezelf zitten. Bespottelijk! Waarom was ik zo bang geweest?

Het was licht; buiten op straat klonken stemmen, ik sleepte een kartonnen scherm weg en keek door het raam. Daar stonden BS'ers met banden om hun arm. 'Hee,' riep ik, 'zoeken jullie iemand? Hij zit hier beneden; wacht ik kom opendoen.' Het klopte; ze zochten een ondergedoken Duitser, zeiden ze, maar toen ze gingen zoeken binnen in al die oude kelders, hebben ze niets gevonden.

Een paar avonden later zijn mijn lauwe Engelsen nog eens gaan zoeken. Die ontdekten hem wel, maar hij ontkwam aan de achterkant. Waar zou die man gebleven zijn?

Het kon mij allang niet meer schelen, het ergste was, dat ik niet meer durfde wonen in dat holle gebouw en een nieuw stuk ruïne moest opzoeken.

Zo ging het toen.

Het gebeurde toen Jo Juda optrad

Al was dan het zuiden een half jaar eerder bevrijd dan het noorden, die winter '44-'45 in het ondergelopen land van Walcheren was nu ook niet bepaald dol. De mensen woonden in huizen waar het zeewater tweemaal per etmaal binnenstroomde. Het enige voordeel was dat je wist hoe laat het kwam. Met hoogopgestroopte broeken en rokken waadde men in januari door de zee in de Paul Krugerstraat in Vlissingen; er was daar zelfs een man die van zijn raam uit schelvissen ving in het broodmandje. Het oude gedeelte van de stad was droog, dat wil zeggen van onderen, maar omdat het dak van nagenoeg ieder huis af was, sliep men daar met de paraplu op, of men zette 's nachts een teil op zijn buik. Behalve die opgevangen regendruppels was er geen zoet water, zodat langzamerhand iedereen kleefde en stonk van het wassen met zeewater. Er bestond maar één verbindingsweg met de wereld, met Middelburg en dat was een smal paadje, dat met vloed onderliep en waar al het verkeer langs moest. In onze kapotte huizen aan de boulevard keken we door een klein stukje schilderijenglas (ramen waren er niet) naar buiten, dan zagen we de Libertyschepen voorbij varen op de vrije Scheldemond, twee reusachtige sperballons hingen boven de rivier te wiegen in de wind en ons innerlijk werd aan de ene kant tot tranen toe gelukkig, maar aan de andere kant werd dat innerlijk toegeknepen van angst, over het lot van de mensen in het noorden, die nog niet vrij waren en die honger leden.

De dikke bakker, die met zijn tennisschoenen op straat stond, zei altijd: 'De bevrijding is al niet meer nodig; ze zijn in de grote steden allemaal al dood, allemaal.' En hij wist het zeker, hij had het zelf gehoord. En we aten stamppot uit de centrale keuken uit emmers en we vonden dat het ons niet toekwam zolang de mensen boven de Biesbosch honger hadden, maar we aten het toch.

Toen de food-droppings begonnen in het noorden, hoorden we dat bericht door grote luidsprekers op het plein. Als het nu maar niet te laat is, dachten we, maar de bakker zei: 'Het is te laat, er leeft niemand meer.'

Juist in die dagen waren er een paar gaten in de dijk definitief gedicht. Vlissingen was vrijwel droog en de zee had een laag slib achtergelaten, met dorre bomen tussen kapotte huizen. En met de vrede was ook langzamerhand de onderlinge ruzie weer teruggekomen en de rivaliteit tussen Middelburg en Vlissingen. Zij krijgen meer dan wij, dacht iedereen.

Gelukkig was er in die tijd de Zeeuwse Volksuniversiteit opgericht door mensen die wilden dat er eindelijk eens een beetje cultuur kwam in de modder. We kregen dus toneel en muziek; dat was voor velen de werkelijke bevrijding. Niet dat er zalen waren; voor concerten kon men eigenlijk alleen de Lutherse kerk gebruiken, die tamelijk heel was. Het podium stond evenwel door het geweld hartstikke scheef, alle uitvoerenden stonden daar in een hoek van vijfenveertig graden te spelen. Zo kregen we het Sweelinck-kwartet scheef en Jo Juda scheef, maar dat deed er allemaal niets toe, de goede muziek was een balsem voor onze aangeslibde harten.

De avond dat Jo Juda optrad, gebeurde het zo maar ineens en nog onverwachts. Hij speelde Brahms op het scheve podium en het was verrukkelijk. Maar onder het andante drong er een ontzettend geloei door in de kerk: alle boten toetten, het afweergeschut blafte, er was gejuich op straat en een raar blaasorkest stond te hoempen voor de kerkdeur.

De violist keek woedend: dat was een natuurlijke reactie, zelfs wanneer de bazuin van het Laatste Oordeel midden in zijn spel had geschald, ook dan zou hij woedend gekeken hebben. Hij speelde voort, maar werd allengs overstemd door het getetter en geschetter. Het publiek in de zaal werd onrustig en wou weten wat er was. De kerkdeur ging open en er werden serpentines in gegooid. Toen kwam het gejuich als een vloedgolf binnen en een paar minuten later hoste ook het Brahmspubliek op straat, arm in arm met de violist en de pianist, de ene boulevard op en de andere af langs de gepavoiseerde schepen en de dansende paartjes op straat, want het noorden was vrij en de oorlog was over. En de bakker hoste het hardst.

Luilekkerlandexpres

Op bladzijde 84 van het boek *Ziezo,* mijn verzamelde kinderpoëzie, staat het versje 'Luilekkerlandexpres'. Veertig jaar geleden geschreven. Nooit durfde ik het te herlezen; er rustte een taboe op. Als ik de titel zag staan in het boek dan huiverde ik en sloeg haastig de bladzijden verder om. Nu voor het eerst herlas ik dat vers en dacht: Wel een leuk idee maar slecht afgewerkt. Afgeraffeld eigenlijk. Geen wonder, er zit iets huiveringwekkends aan vast.

Het was in september 1951 dat mijn moeder me belde en zei: 'Kom gauw, het gaat mis met 'm.'

Ze woonden op een etage in Den Haag in de Laan Copes van Cattenburch. Mijn vader had een klein zijkamertje voor zichzelf. Alle vier de wanden waren volgestouwd met boeken, alleen het raam was uitgespaard. In het midden stond zijn ligstoel en daarop lag hij zielstevreden dood te gaan, te midden van zijn Hegel, Kant en Spinoza.

'Wat zei de dokter?' vroeg ik toen ik binnenkwam.

'Dat het afloopt,' zei m'n moeder.

De weken tevoren was ik vaak naar hen toe gegaan. Hij was wel erg zwak en bleek maar volledig bij bewustzijn. Hij glimlachte als ik naast z'n ligstoel kwam staan en vroeg dan: 'Is alles goed?'

'Heel goed,' zei ik dan. Ik durfde hem niet te vertellen dat ik zwanger was. Ongehuwd zwanger. Het zou hem akelig geschokt hebben en ik was blij dat hij het waarschijnlijk niet meer zou hoeven te weten.

Maar nu, op deze avond in september, was hij niet meer bij bewustzijn. Hij ademde, maar bij iedere ademtocht kwam er een reutelend geluid mee.

'Zo is het al de hele dag,' zei m'n moeder verbijsterd. 'Ik

ben zo moe en je broer is de stad uit.'

'Ik blijf wel bij 'm,' zei ik. 'Ga een beetje slapen, je bent doodop.'

'Ja straks,' zei ze. 'Laten we eerst even binnen gaan zitten.'

We zaten in de huiskamer, de deur open, we hoorden het gereutel.

'Vanmorgen was hij nog bij kennis,' zei ze. 'De dominee is geweest. Dominee Drost.' Ze begon te lachen. Door haar vermoeidheid en tranen heen kwam toch weer de lach.

'Wat was er dan?' vroeg ik.

'Hij heeft 'm weggestuurd. Hij wou geen dominee aan z'n bed. Hij zei: "Drost, beste kerel, ik red het wel, goeiendag."'

We lachten nu allebei heel hard.

Het was mijn vaders vak geweest, stervenden over de drempel te helpen. Voor zichzelf had hij dat niet nodig en zeker niet van een collega. Voor hem was er trouwens helemaal geen drempel, alleen een kalme continuïteit.

'Ga nu slapen,' zei ik. 'Ik blijf hier vannacht.'

Ze ging ongaarne en ik bleef in de zitkamer op een stoel, de deur open, luisteren naar het stage geluid uit het zijkamertje.

Ik haalde m'n blocnote en pen uit m'n tas.

Morgen moet ik m'n versje voor *Het Parool* inleveren, dacht ik. Dat moet ik dus hoe dan ook vannacht schrijven. En ik begon aan het versje over kinderen die eigenlijk door de rijstebrijberg moeten heen eten, maar dat niet hoeven omdat ze in een bus zitten die er dwars doorheen rijdt.

Wat heb ik vaak later met een rilling aan die nachtelijke uren gedacht. Je gaat door met je werk en je maakt een lollig versje terwijl je vader vier meter van je af ligt te sterven. Zoveel acteurs en actrices hebben een dergelijke ervaring gehad: Toen m'n vader stierf... toen m'n moeder doodging... stond ik die avond op de Bühne en maakte het publiek aan 't lachen. De show must go on.

Toen, al schrijvend aan dat versje, voelde ik geen verdriet

of spijt of schuldgevoel, alleen maar de dwangmatige werking van m'n hersens als ze rijmwoorden moeten zoeken.

Toen het versje af was hield het reutelen op.

Ik ging kijken en maakte toen m'n moeder wakker.

'Waarom heb je me niet gewekt toen het gebeurde...' riep ze schreiend.

'Maar er gebeurde niets,' zei ik.

Een paar dagen later, op een stralende septemberdag gingen we naar ons oude Zeeuwse dorp om mijn vader te begraven.

De kerkklokken luidden voor deze bijzondere gelegenheid.

Het dorp was z'n oude voorganger nog niet vergeten.

Mijn moeder ging in een van de auto's. Ik ging mee in de stoet, te voet. Ik had een wijde zwarte jas geleend.

Ik voelde me heel gelukkig die dag. Natuurlijk, het is toch ook prachtig om zwanger te zijn en met nieuw leven in je, je oude vader te begraven.

Het versje wou ik nooit meer lezen. Tot nu. Niet zo best, maar ach... gezien de omstandigheden.

Benen

In 1951 stierf mijn vader, tachtig jaar oud.

Mijn moeder bleef verlaten achter op haar fraaie Haagse etage en keek uit het raam.

Een halve eeuw was ze de vrouw van een dorpsdominee geweest en al die jaren had ze gezucht: 'O, mocht ik nog maar eens in een stad wonen! In Den Haag! Niet meer tussen boeren, maar tussen mensen waar ik mee praten kan.'

'Zodra je vader emeritus is,' zei ze tegen mij, 'verhuizen we naar Den Haag.' Maar toen dat eindelijk gebeurde, was ze oud. De leuke mensen op wie ze zich zo had verheugd, waren er niet of ze bleven weg. Er kwam geen hond.

En nu was ze alleen en klaagde erover dat ze haar kinderen te weinig zag. Een ongegronde klacht. Een klacht die alle oude ouders door alle tijden heen blijken te hebben. Houdt dat ooit eens op? Nee, nooit. Volwassen kinderen hebben hun eigen kinderen, eigen werk, eigen leven en komen af en toe eens langs bij hun ouwe pa of moe.

'Maar nu ben ik er toch,' zei ik troostend. 'En ik blijf de hele verdere dag.'

Ze keek peinzend door het raam en zei toen: 'Hij heeft nooit m'n benen gezien.'

'Wie?' vroeg ik.

'Je vader, wie anders. Nooit, helemaal nooit heeft hij m'n benen gezien. Vijftig jaar getrouwd, denk eens in. En nooit!' Ze zei het met een mengeling van trots en schaamte, maar de trots overwon. Dit was iets wat ze bereikt had met veel tact en wellicht moeite, maar toch bereikt.

'Hoe kwam dat dan?' vroeg ik, oprecht geïntrigeerd.

'Nou kijk, je weet dat we allebei de Engelse ziekte hadden.'

'Wie? Jij en pa?'

'Schei uit, kom nou, nee! M'n zuster Mieke en ik.
We kregen allebei als kind de Engelse ziekte. Rachitis.
Een ziekte die niet meer bestaat, geloof ik. Door die ziekte hadden we allebei, Mieke en ik, hele korte, hele kromme beentjes. Daardoor zijn we ook altijd klein gebleven. En we werden dik, dus we hadden hele dikke, korte kromme beentjes. Maar toen we opgroeiden, gingen we lange rokken dragen. Wat een zegen dat er toen nog geen korte rokken in de mode waren. We kregen allebei verkering, tante Mieke en ik, alle twee met studenten in de theologie. Ze zagen onze benen nooit. Ik geloof trouwens dat in die tijd studenten in de godgeleerdheid niet eens wisten dat meisjes benen hadden.'

'En jullie verloving heeft tien jaar geduurd. En al die tijd...'

'Al die tijd niks. Wat denk je wel. En altijd lange rokken en altijd oppassen.'

'Maar na die lange verlovingstijd kwam er toch een bruiloft en – naar ik mag aannemen – een eerste huwelijksnacht. Hoe moest dat dan zonder benen?'

Mijn moeder lachte vrolijk.

'Eigenlijk was het heel leuk,' zei ze. 'We lagen in bed, in het donker natuurlijk en ik had een hele lange nachtpon aan en je vader een lang nachthemd, want je had nog geen pyjama's.'

'En toen?'

'Ja kijk, we gaven elkaar een zoen, maar verder wisten we geen van beiden wat we moesten doen. We deden dus helemaal niets.'

'Maar na tien jaar kuise verkering moest je toch wel branden van passie en verlangen?'

'Ik verlangde helemaal niet,' zei m'n moeder. 'Ik hield immers eigenlijk van een ander? Bovendien dacht ik alleen maar: Hij mag m'n benen niet zien.'

'Maar die arme Johan die wel van jou hield!'

'Hij had heel veel geduld,' zei m'n moeder met waardering.

'En hij heeft daarna toch vier kinderen bij je verwekt. Allemaal in het donker?'

'Jazeker, en onder de dekens.'

'Met lange nachtponnen aan en ook nog hemden en borstrokken en ook nog lange onderbroeken en directoires met lange pijpen?'

'Dat weet ik niet zo precies meer.'

'Maar bij de bevalling?'

'Bij de bevalling kwam de baker. Verder niet. En je vader had daar niets mee te maken.'

'En als je ziek was?'

'Altijd onder de dekens.

Maar ach, hij was zo trouw,' vervolgde ze. 'Als ik een dagje weg geweest was met de trein, stond hij altijd te wachten op het perron, die goeie Johan met z'n grijze kop.'

Niet lang na dit gesprek begon mijn moeder te dementeren.

Omdat ze eenzaam was, nam ze de tram naar het Spui en ging bij Heck theedrinken. Ze at een gebakje en luisterde naar de muziek.

Als ze daarna weer buiten stond, wist ze niet meer waar ze woonde en ook niet meer wie ze was. Ze jammerde dan net zolang tot de omstanders er politie bij haalden.

'M'n zoon is notaris in Den Haag,' zei ze dan. Dat was het enige wat ze wist. Waarschijnlijk belde de politie dan alle notarissen in Den Haag op met de vraag: 'Kan het zijn dat uw vergeetachtige oude moeder op het Spui staat?' In elk geval kwam ze altijd thuis.

Toen ze stierf had ik sterk het gevoel dat de oude Johan met z'n grijze kop op het perron stond te wachten en tegen haar zei: 'Kom maar gauw mee naar huis. Je benen doen er helemaal niet meer toe.'

Moeder

Wat doen we met moeder met Kerstmis? Dat is de titel van een van de laatste boeken van Harriet Freezer. Het was een geestige en luchtige aantijging. Zoveel mensen tussen de veertig en vijftig hebben het te druk met hun werk en hun gezin. Of met hun werk en hun scheiding. Ergens hebben zij een verweduwde moeder (of vader, maar er zijn nu eenmaal meer weduwen dan weduwnaars), hun huis is te klein om moeder erbij in te nemen en altijd zo tegen Kerstmis begint hun geweten te knagen.

Harriet Freezer stierf in 1977 en haar crematie vond plaats omstreeks Kerstmis. Bij die gelegenheid spraken haar dochters heel roerend en indrukwekkend, maar er was ook een wat onhandige spreker die over haar werk, haar boeken uitweidde en met nadruk dat laatste boek noemde: *Wat doen we met moeder met de feestdagen?*

De hele aula hield de adem in: cremeren dus... was het toepasselijke antwoord op die vraag. Harriet zou er zelf heel hard om hebben gelachen.

Zelf dacht ik op dat moment aan de laatste kerst die ik met mijn moeder doorbracht. Dat was in 1954 of '55. Ze was een eindje in de tachtig, woonde op een etage in Den Haag en was algauw na de dood van haar man gaan dementeren.

Meer dan vijftig jaar had ze een ongelukkig huwelijk gehad, naar haar eigen zeggen. Meer dan vijftig jaar betreurde ze haar keus en jammerde: 'Had ik Maaskant maar genomen.' Maar toen mijn vader stierf, zuchtte ze: 'Ach, wat was hij toch trouw.'

Ik had man, kind en werk. We konden haar onmogelijk in huis nemen. 'Laten we haar met de kerstdagen in elk geval uitnodigen,' zeiden we. 'We halen haar op met de auto, we hebben een kerstboom en een kalkoen en we maken het zo gezellig mogelijk.' Het ging allemaal redelijk goed.

'Ik lust geen kalkoen,' zei ze. Dat hinderde niet. We hadden nog een karbonaadje over. Ze vroeg veertien keer: 'Waar slapen jullie?'

Ze vroeg zestien keer: 'Waar moet ik slapen?'

Zestien keer lieten we haar het logeerkamertje zien en dan knikte ze, maar toch met iets van argwaan.

De kaarsjes van de kerstboom werden uitgeblazen, we brachten haar naar bed en gingen moe en voldaan slapen.

Midden in de nacht werden we wakker door een gekerm in de woonkamer. Mijn moeder was gaan dwalen door het huis, omdat ze niet meer wist waar ze was. In de donkere huiskamer was ze tegen de kerstboom aan gelopen en gevallen. Daar lag ze nu, omstrengeld door engelenhaar, de kerstboom had ze omver gerukt, zilveren kerstkransjes kleefden aan haar nachtpon en dennenaalden prikten haar.

We hielpen haar op en probeerden haar te sussen, maar ze was heel boos.

'Oud en versleten, veracht en vergeten!' schreeuwde ze.

'Nou nee, dat is niet waar, moeder. Oud en versleten misschien wel, maar zeker niet veracht en vergeten!'

'Jawel!' riep ze. 'Ik wil naar huis.' Het was drie uur in de nacht. Ze wilde niet meer terug naar bed. Mijn man reed haar naar huis in Den Haag.

We begrepen dat ze niet meer alleen kon blijven wonen. Er moest een oplossing komen, want ook in Den Haag dwaalde ze her en der door de straten en wist niet meer waar ze was, of wie ze was.

Ook toen was het al moeilijk onderdak te vinden voor een demente bejaarde.

Ten slotte was er plaats in een Nederlands Hervormd bejaardentehuis. Ze wou niet. Ze verzette zich hevig. Ik wilde haar niet dwingen tegen haar zin. Ik had er zo'n verdriet van en dacht: Misschien steekt ze het huis in brand of misschien loopt ze de gracht in, maar alles liever dan een oud dierbaar mens uit haar woninkje te sleuren en in een vreemde omgeving te zetten.

Maar mijn broer greep in. Het moest. Een Nederlands Hervormd tehuis... dit wordt een ramp, dacht ik. En dat werd het ook. Mijn moeder stak haar ongenoegen niet onder stoelen of banken. Ze gooide met het servies en het bestek.

Dat alles kon nog wel worden rechtgestreken in dat aardige tehuis. Maar op een dag werden we bij de directrice geroepen. 'Uw moeder is echt niet meer te handhaven hier,' zei ze. 'Ze wordt handtastelijk.'

'O ja?'

'Zeer zeker. Ze heeft een dame geslagen. Eerst uitgescholden en toen geslagen. Mevrouw Radon is bont en blauw geslagen door uw moeder.'

Ik had mevrouw Radon wel eens ontmoet daar. Ze had een donkere huidskleur en dat beviel mijn moeder niet. Ze had mevrouw Radon uitgescholden voor nikker en roetmop.

Dit vond ik volstrekt onbegrijpelijk. Mijn moeder, hoe kordaat en eigenzinnig dan ook, was altijd een zachtmoedig en vriendelijk mens geweest. Ze had zich altijd tegen rassendiscriminatie geweerd, als het ter sprake kwam of wanneer zij erover las.

Natuurlijk probeerden we met haar te praten, maar ze wist niet eens meer waar het over ging.

'Ik wil naar huis,' was het enige wat ze zei.

Het was weer tegen Kerstmis en er moest een oplossing gevonden worden voor m'n oude moeder, die niet meer te handhaven was in het bejaardentehuis. Ze was nu zo ver weggezonken dat ze mij niet meer herkende en 'dag juffrouw' zei, als ik kwam.

Ik ben vergeten wie er eerst op het idee kwam; was het mijn broer of was ik het zelf die zei: 'Wanne wil haar misschien wel in huis nemen?'

Dertig jaar lang was Wanne de dienstbode geweest in de dorpspastorie bij mijn ouders. Ze was echt De Meid, die de stoep schrobde met winterhanden, voor dag en dauw de kachels uithaalde, kamers veegde, lakens waste op een geribbeld wasbord.

Nu woonde ze nog steeds in het dorp, op haar eentje, in het arbeidershuisje waar ze ooit met haar ouders en elf broers en zusters gewoond had. Ze had een klein pensioentje, het huisje was opgeknapt en ze leefde kalm en tevreden.

Durfden wij haar zo iets te vragen?

Met mijn broer reed ik erheen, verzamelde al mijn moed en vroeg: 'Wanne, zou mijn moeder bij jou mogen wonen?'

Ze verstond me niet. Wanne was doof geworden, nadat ze bij ons van de zoldertrap was gevallen en een zware hersenschudding had opgelopen. Ik moest de vraag luid herhalen en schaamde me diep. Het zou logisch zijn geweest als ze had geroepen: 'Wát! Je ouwe moeder in huis nemen die me altijd heeft uitgebuit? Bij wie ik honderd gulden per jaar verdiende? In de pastorie waar ik op het meidenkamertje moest slapen, waar ik van de zoldertrap ben afgemieterd en doof ben geworden? Waar ik in de keuken moest eten, waar ik – toen er nog geen wc was – jarenlang de pispotten heb moeten legen? Hoe durf je me zo iets te vragen?'

Zo'n antwoord verwachtte ik en het zou een heel terecht antwoord geweest zijn. Maar ze zei niets van dien aard; ze begon te stralen. 'Mevrouw bij mij hier?' vroeg ze. 'Mijn mevrouw? Natuurlijk vind ik het fijn als ze komt, maar mijn huisje is zo eenvoudig. Ze is het veel deftiger gewend.'

'Ze hoeft niks deftigs,' zei ik. 'Maar je moet wel weten dat ze heel oud en heel seniel is, Wanne. Dat ze niets meer kan onthouden en niemand meer kent. Het zal niet makkelijk voor je zijn.'

'We zullen het best samen kunnen vinden,' zei Wanne.

Wonder boven wonder herkende mijn moeder Wanne. En een nog groter wonder was het dat ze niet meer riep: 'Ik wil naar huis.' Ze soesde hele dagen in de enige kamer die het huisje bezat, sliep in de bedstee, vroeg duizend keer hetzelfde en kreeg duizend keer een geduldig antwoord van Wanne, die lekker voor haar kookte en haar verzorgde of ze een baby was. Als ik op bezoek kwam, zei ze: 'Dag juffrouw.'

'Soms heeft ze heel heldere ogenblikken,' zei Wanne. 'Dan kunnen we zo gezellig praten over vroeger, ik en mijn mevrouw.'

Bijna een jaar bleef het goed gaan. Maar toen kwam er een brandbrief van Wanne. Of ik wou komen.

Nu bleek dat mijn moeder ook hier haar gooi- en smijtbuien had. Een schaal rodekool tegen de vloer, dat kon er nog mee door. Een hele soepterrine met tomatensoep tegen de witgekalkte muur... nee, dat werd te erg.

'Het kan niet langer,' snikte Wanne oprecht berouwvol.

Weer moest er een oplossing worden gezocht. Ditmaal werd het een inrichting voor geestelijk gehandicapte bejaarden ergens in Zuid-Holland.

Ze zou met een ambulance-auto worden opgehaald. Mijn broer en ik reden mee met de ambulance naar Zeeland. We voelden ons diep schuldig. Wanne voelde zich ook diep schuldig.

De enigen die zich niet schuldig voelden, waren de broeders van de ambulance, die opgewekt hun karwei deden, een brancard naar binnen brachten en zeiden: 'Hup, oma!'

Mijn moeder had toevallig een van haar heldere momenten en riep: 'Wat nou hup oma. Ik ben jullie oma niet. Ik ben... ik ben mevrouw...' en toen tegen mij: 'Wie ben ik ook weer, zeg het nog 's juffrouw.'

'Wat doen jullie nou!' riep ze, toen de stoere jongens haar beetpakten en op de brancard legden. 'Blijf van me af.'

We probeerden haar te sussen. 'Het is nodig, moeder. Het kan niet anders. Ga nou maar lekker liggen.'

'Maar ik ben niet ziek! En waarom moet ik vastgebonden

worden met riemen! Jullie zijn gek! Allemaal gek.'

Wanne huilde en kuste haar. Wij gingen troostend vlak naast haar zitten en zorgden dat ze wat overeind kon komen en naar buiten kon kijken, terwijl wij haar voortdurend toespraken in de trant van: 't is echt voor je eigen bestwil, het komt allemaal goed. Maar ze bleef roepen: 'Gek zijn jullie. Stapelgek. Ik mankeer niks.'

De auto reed op de weg tussen Goes en Bergen op Zoom. Het was in de jaren vijftig en op die weg reed nog bijna geen verkeer. Een wat sombere grijze dag en een saaie eentonige weg. Niets bijzonders, behalve dan de stem van mijn moeder die bleef roepen dat we gek waren.

Toen zagen we de kameel.

Aan de kant van de weg liep een man met een kameel aan een touw. Waarschijnlijk van een circus of een kermis uit een van de naburige dorpen. Mijn moeder keek en zag het ook.

'Daar heb je 't!' riep ze. 'Zie je nou wel dat jullie gek zijn? Een kameel!'

Voor haar was dit het overtuigend bewijs dat wíj gek waren en zij volstrekt normaal... Er zat een mooie logica in haar redenering. Ik wist op dat moment ook niet goed meer wie van ons gek was.

We leverden haar af. We bezochten haar. Ze zei niets meer. Een maand later stierf ze. De uitroep over de kameel was haar laatste felle uitspraak geweest.

Mijn uitvaart

Mijn dood.

Wanneer men mij zou vragen een lijstje te maken van de feestelijke gebeurtenissen in mijn leven, dan zou het er als volgt uitzien:

Geboorte – beminnen – baren – (rijbewijs gehaald) – dood.

Een absurd rijtje. Grammaticaal kreupel en het rijbewijs slaat nergens op, maar het drong zich eigenzinnig ertussen.

Absurd bovendien omdat geboorte en dood beide gebeurtenissen zijn die men zelf niet bewust meemaakt, zodat het feestelijke ervan geheel aan de omstanders moet worden overgelaten.

Niettemin houd ik halsstarrig vast aan die lijst.

Gelukkig hoef ik niet over 'de' dood te schrijven; dan zou ik het geen feest durven noemen. Maar míjn dood is van mij. Welnu, ik kijk er met genoegen naar uit. Dat heeft niets te maken met begrafenis, kransen, rouwkaarten, wenende familie en toespraken, want dat alles maak ik zelf niet meer mee. Nee, het heeft te maken met het onherroepelijke plechtige EINDE. Met het grote OPHOUDEN.

Let wel, het is best mogelijk dat ik bij het naderen van de dood ga jammeren: 'Laat mij nog een wijle verpozen,' of domweg: 'Nee, ik wil niet, blijf van me af.' Per slot ben ik niet de baas over mijn geestesgesteldheid in het verschiet. Maar zoals het er nu naar uitziet blijf ik het een feestelijk gebeuren vinden. En waarom? Al sla je me dood, ik weet het niet.

Ik ben geen christen, geloof niet aan een persoonlijke god en niet aan het hiernamaals.

Waarom dan die euforie? Zie ik er de verlossing in uit een ondraaglijk bestaan? Maar ik heb allerminst een ondraaglijk bestaan. Dat dus niet. Maar wel een ander soort verlossing. Een verlossing uit de ban van de tijd. Die leugenachtige oneigenlijke tijd, die voorthollende alles meesleurende rivier, vol gif uit het verleden.

Af en toe probeer ik me vast te klampen aan een stuk rots vlak onder de oppervlakte, maar het lukt niet en ik moet mee, sneller en sneller tot ik eindelijk gekneusd en kapotgeslagen op de oever word gesmeten. Dood.

En ik kan niet eens meer zeggen: 'Hè, hè, dat was dat.'

Wat voor soort verlossing is het als je niet eens kunt zeggen: 'Hè, hè, dat was dat'?

Toch heb ik bij het zien van dode geliefden altijd het gevoel gehad dat zij blij waren verlost te zijn uit de tijd.

De angst voor de dood komt, zo heb ik gemerkt, zowel bij gelovigen als niet-gelovigen voor. De gelovigen zijn bang voor de oordeelsdag, ook al rekenen ze vast op genade, zoals een zieke rekent op genezing en daarbij toch denkt: Je weet het maar nooit.

Wanneer niet-gelovenden bang zijn voor de dood gaat het om het schrikaanjagende besef het 'ik' te verliezen, er niet meer te zijn.

Die angst ken ik niet.

Ik zal integendeel graag afstand doen van dat egocentrische ego, dat hebberige, dwingerige jaloerse 'ik'. Van mij mag het weg. Iets anders is het met het 'zelf'. Dat 'zelf' is er en dat kan niet weg.

'Aha,' roepen mijn vrienden, 'daar komt de domineesdochter uit de mouw. Er is dus een "zelf" dat zal blijven bestaan?'

'Nee, want het woord "blijven" houdt tijd in en voortduren, terwijl ik het zie buiten tijd en ruimte, een soort nergens – nimmer – niemand – nirwana.'

'Wel erg vaag,' vinden ze.

'Ja, erg vaag maar toch die rots onder de oppervlakte van de rivier.'

'Zie je wel? De aap komt uit de domineesmouw. Je wilt zeker zeggen: Een zelf dat deel uitmaakt van een groter Zelf?'
'Precies.'

'Maar hoe dan, wees duidelijker, leg het uit,' roepen ze, ademloos van spanning.

'Ja hoor 's, als Schopenhauer er niet uit is gekomen, waarom zou ik het dan wel uit de doeken kunnen doen? Ik weet alleen dat ik niet jaloers ben op die christenen die aan een eeuwigdurende eeuwigheid geloven, een eindeloos doorbestaan, eventueel in hemel of hel, in lux eterna of duisternis.'

Toen ik een kind was, werd mijn geloofje (het was nooit meer dan een zwak geloofje) gefnuikt door die christelijke voorstelling van de eeuwigheid. Het was september 1917. Ik weet dat zo goed omdat ik net op de lagere school zat en zelf al Ot en Sien kon lezen.

Het was op de dag dat mijn vader de carbidlamp liet ontploffen, maar dat was pas 's avonds en per ongeluk.

Overdag stond ik voor het zolderraampje van de pastorie te kijken naar een begrafenisstoet die daar beneden langskwam. Het was de begrafenis van Korstanje. Nu ik het opschrijf denk ik: Nee, hij heette Eversdijk. Hoe dan ook, het was een allerliefste oude man, die mij soms een kaneelstok gaf en volwassen met me praatte.

Zijn vriendelijk lachende grijze ogen zie ik nog duidelijk, ook al weet ik niet meer of hij Korstanje heette dan wel Eversdijk.

We hadden in Kapelle toen een ouderwetse lijkkoets met een krullerig bovenstuk waarop in mijn herinnering een doodskop was uitgesneden met twee gekruiste doodsbeenderen eronder. De koets had zilverkleurige versierselen en zwart-floerse gordijnen.

Er stond een paard voor met een zwarte jurk. Ik kende het paard van bij ons achter in de wei. Het zag er nu gelaten en deemoedig uit, anders dan in de wei. Naast de koets liep de koster, Lepoeter, die iets triomfantelijks had en geen wonder:

hij was ceremoniemeester van dit soort plechtigheden. Erachter liep mijn vader met z'n hoge hoed op. En daarachter kwam een hele sliert zwarte begrafenisgangers. Het motregende een beetje en de torenklok luidde. Het was de meest naargeestige optocht die men zich kon voorstellen.

Ik stond te kijken en dacht: Hij gaat dus naar de hel. Nee, dacht ik even later: Ze willen 'm naar de hel hebben! Hoe kon het anders? Als ze hem de hemel toewensten of overtuigd waren dat hij daar een goede kans op maakte, dan zou al dat zwarte neerslachtige toch nergens op slaan? Dan hadden er vlaggetjes moeten zijn en serpentines. De hele stoet zou huppelen en dansen, de petten de lucht in gooien en luid zingen van: Lang zal die leven en We gaan nog niet naar huis. En iedereen een kaneelstok en 's avonds vuurwerk. (Dat vuurwerk kwam inderdaad 's avonds toen mijn vader de carbidlamp liet ontploffen.)

Hoe dan ook: Korstanje (of Eversdijk) ging niet naar de hel, daar stond ik voor in. Sindsdien heb ik een intense afschuw van zwarte begrafenissen. Dat de mijne helemaal in het roze zou moeten, ligt voor de hand. Toch wil ik het mijn verwanten en vrienden niet nu alvast opdringen.

De uitvaart is hún uitstapje: zelf zal ik het niet meemaken.

Ter verantwoording

In *Wat ik nog weet* staan voor een deel columns die in de eerste helft van de jaren vijftig in *Het parool* zijn gepubliceerd; ze zijn soms niet in *Impressies van een simpele ziel* (1951), *Nieuwe impressies van een simpele ziel* (1952), *Impressies van een simpele ziel 3* (1953) en *In Holland staat mijn huis* (1955) of de keuze eruit, *Troost voor dames* (1962), opgenomen. Om de autobiografische aard van dit werk zijn de stukjes buiten *Simpele zielen en nog wat* (1989) gehouden; er werd gehoopt op een voortzetting van het thema die tot een nieuw boek zou leiden.

Het vervolg ontstond algauw toen Annie M. G. Schmidt na een onderbreking van vele jaren opnieuw aan *Het parool* ging meewerken, wekelijks onder de kop 'Wat ik nog weet', die meteen de titel van dit boek aanreikte. Deze cursiefjes, enkele al te afwijkende uitgezonderd, plus iets uit *Dát was nog eens lezen!* (1972) en NRC *Handelsblad* (dit past er als slotstuk bij) vormen met de oudere, in verwachting bewaarde teksten *Wat ik nog weet*.

Voor deze uitgave is eenheid van spelling en interpunctie betracht. De hulpvaardige mensen van *Het parool* en het Gemeentearchief van Amsterdam, waar de leggers van *Het parool* berusten, zij hier erkentelijkheid betuigd. Meer terloopse assistentie is ook verleend; om niemand over te slaan noemen wij niemand met name maar wij voelen ons, met Annie Schmidt, zeer geholpen.

Tine van Buul en Reinold Kuipers